MÁIRTÍN Ó DIREÁIN
DÁNTA 1939—1979

An Clóchomhar Tta
Baile Átha Cliath

Leinster Leader Ltd, Nás, a chlóbhuail

CLÁR NA nDÁNTA

Rogha Dánta (1949)

[5]

[7]

[11]

AN RÉAMHRÁ

'Bhí an charraig oileánda ar ar tógadh mise ar muin na filíochta, gan bealach ag duine uaithi dá mb'áil féin leis é. Bhí sí sna brachlanna cúrbhánna a d'éiríodh de dhroim na mara glaise, i nglór na dtonn a bheireadh dúshlán carraige is trá agus bhí sí arís sa monabhar ciúin síoraí a níodh mallmhuir samhraidh is í ag súgradh go lách le ciumhais an chladaigh. Ach thar gach ní bhí sí i gcaint mo dhaoine.'

Fuair Máirtín Ó Direáin, ar ghort an bhaile in Árainn, na samhailteacha agus na siombailí a d'fheil go binn do chlaonadh dílis a shamhlaíochta. Nuair a chuaigh sé ag déanamh dánta deich mbliana tar éis dó Árainn a fhágáil is ar an dlúth sin—gnéithe aiceanta Árann, 'móinín ulán, céim is carraig', agus meon agus nósa ar leith a mhuintire, an duine 'ag rámhadh in aghaidh a dháin ar ucht ard na farraige'—is air sin a d'fhigh sé inneach a chuid filíochta. Thug sé leis 'Samhail is ráite gach fir/A shaibhrigh a óige/Tráth ar líon a stór fis'.

Ceann de na tréithe is buaine dá chuid filíochta is ea an leas a bhaineann sé as na gnéithe seo agus as an bhfoclóir a ghabhann leo. I dtosach a shaothair is ar a son féin a tharraing sé chuige iad, é ag machnamh go cumhúil ar 'thír gheal na hóige', ach níos faide anonn is meán iad le fiúntais an tseansaoil—mar a thugann seisean chun cuimhne iad—a dhearbhú in éadan meath morálta agus cultúrtha na linne seo mar a fheictear sin dó. Is iontu a fuair sé an tslat a thomhaisfeadh an saol dó agus is iad a dhéanfadh fál dó idir é féin agus 'deamhain deabhaidh na sráide'. Ionracas agus inmhuiníne an tsaoil sin, timpeallacht shocair sheasta na sé bliana déag tosaigh dá shaol, chuaigh siad i gcion go domhain air agus d'fhan ina bhuachloch aige.

Gné shuntasach dá shaothar mar sin is ea an ghluaiseacht seo ó mhóradh áilleacht tíre agus nósa agus áilleacht spioradálta an oileáin go dtí an uair a gcúisíonn sé 'cathair fhalsa an éithigh' agus ionracas úd an tseansaoil mar fhianaise aige.

Rud a threisigh ar dhíocas a shaothar ba ea gur bhraith sé go raibh an seansaol úd ar tí a théaltaithe rud a d'fhágfadh folamh é, ach cé go scríobhann sé go fóill faoin saol mar a bhí leathchéad bliain ó shin, tríd is tríd tá an saol sin claochlaithe i riocht siombail aige. Tá raon nua déanta amach d'Árainn ag an Direánach ina shamhlaíocht ar nós mar a deir Hugh Mac Diarmaid faoi Wauchope, abhainn a óige: 'O there's nae sayin' what my verses awn/To memories, or my memories to me./But a'e thing's certain; ev'n as things stand/I could vary them in coontless ways an gi'e/Wauchope a new course in the minds o' men' . . . .

Ba léir dó féin áfach, de bharr achar na mara idir file agus oileán, an dealú buan, go raibh na 'clocha glasa ag dul i gcruth brionglóide' ina aigne. Is dócha gurb é an claochlú seo ar ábhar Árann, a bhí ag fabhrú ann ní foláir i ngan fhios dó ar dtús, ach ar chothaigh sé go lánfhiosach ina dhiaidh sin, ceann de phríomhéachta a shaothair. Domhan ann féin ba ea Árainn agus an Direánach ag éirí suas, ach ba léir dó ina dhiaidh sin nár chabhair feasta 'an tonn mar fhalla'. An tuiscint ghéar a fuair sé don athrú saoil, d'imeacht na seanghnása, do mheath na seandínite—'gaisce ard is goití dúshláin', ní le hÁrainn amháin a bhain sí ach le saol na hÉireann i gcoitinne, cé go gcuireann insint ar leith Uí Dhireáin craiceann Árannach ar leith uirthi. Is tuairisc bharainneach a shaothar ar an athrú saoil a bhfuil fuadar faoi leith faoi le tríocha bliain anuas, ní amháin in Árainn ach ar fud na tíre.

Dúirt Yeats 'The self conquest of the writer who is not a man of action is style', agus níl aon amhras ach go bhfuil stíl so-aitheanta déanta amach ag an Direánach, stíl choigilteach nach dual di a bheith fiontrach, stíl nár mhiste 'clasaiceach' a thabhairt uirthi. Léimid ar a shaothar díomá an té ar baineadh dalladh púicín na soineantachta de agus a fhéachann siar go cráite ar an bhflaitheas, dar leis, a chaill sé: ach is duine é chomh maith a fhéachann gan stríocadh ar smionagar na réabhlóide nár tháinig ann di lena linn, an ghlanchontrárthacht idir suarachas an tsaoil in Éirinn mar atá dar leis agus an t-idéalachas atá á ídiú, ar nós na habhlainne a thit as lámha na dtréan agus atá á creimeadh ag na lucha.

Thug sé féin a dhílseacht do na hidéil ba siocair le bunú an stáit dúchais ach ar nós go leor dá ghlúin bhraith sé go ndeachthas ar seachrán ar chuma éigin. As an imreas, an teannas seo idir na hidéil a facthas do ghlúin Uí Dhireáin agus an caitheamh a bhíothas lena linn á chur sna hidéil chéanna sin, á n-oiriúnú do pholaitíocht na huaire, as seo fáisceann sé filíocht.

Cheapamar tráth go mbeadh an lá linn
An bua ar fáil, an t-athaoibhneas ag teacht,
Is chaitheamar an choinneall de ráig

[14]

Ag fónamh dár gcleacht,
Ní náir linn os comhair cháich
Ár gcloichín ar charn na sean,
Cé gur eagal linn le seal
Go bhfuilimid ag cur gainimh i ngad,
Murar i gCionn tSáile an léin
A cuireadh ár gcleacht ó rath?
Arbh iad na cinnirí críonna
Nó cléirigh an tréis a d'fheall?
Ach mar chuaigh an choinneall go dtí seo,
Téadh an t-orlach ina bhfuil romhainn amach.

Cuid de shéalú an idéalachais is ea, dar leis, an neamhshuim a
dhéantar den fhile, rud a fhágann níos deacra fós aige é féin a
ionannú le saol a linne:
Tá an éigse cheana
Is beidh feasta gan aird,
Mar dhream a bheadh mall
I dtosach na biaiste.

Ach cuireann sé an patuaire, an neamh-mhotháil agus go deimhin
an namhadas chun buntáiste a shaothair. Aithníonn sé cruachás
Aogáin Uí Rathaille sa dán 'Ualach' agus san am céanna éilíonn a
cheart féin i dtraidisiún na filíochta Gaeilge:

Ní ualach go hualach uabhair

Ní uabhar go huabhar file
A fhásann as móiréis na dáimhe:
An fhad atá tógáil a phinn ina láimh
Tá tógáil a chinn ann
Is bráithre ina dháil
Ag sníomh le briathra.

Ní chuirfí poll ar a onóir
Dá mairfeadh cion ar an mbriathar
Ach ó chuaigh an briathar ó chion
Is minic ise ina criathar.

Cabhair dá ngoirfeadh Aogán
Níor ghairide dó an ní:
Geallaim nár ghairide fós
Dá ndéanfadh inniu a ghuí.

[15]

Sa bhliain 1977 bhronn Ollscoil na hÉireann céim Dochtúireacht le Litríocht ar Mháirtín Ó Direáin agus bhronn Fondúireacht F.V.S., Hamburg, an *Ossian-Preis* air. Ba iad seo seo an luach saothair ba dual, dlaoi mullaigh an aitheantais a shaothraigh an Direánach le dhá scór bliain. Roimhe sin ghnóthaigh sé duais de chuid an Fhorais Chultúir Ghaeil-Mheiriceánaigh sa bhliain 1967 agus Duais an Chomhairle Ealaíon sa bhliain 1965. Is iomaí duais Oireachtais a bhain sé chomh maith.

Rogha Dánta, a d'fhoilsigh Sáirséal agus Dill sa bhliain 1949, atá i dtosach na díolaime seo. Is é seo rogha an fhile dá shaothar tosaigh. Ina dhiaidh sin tá na cnuasaigh eile—*Ó Mórna agus Dánta Eile* (1957), *Ár Ré Dhearóil* (1962), *Cloch Choirnéil* (1966), *Crainn is Cairde* (1970) agus *Ceacht an Éin* (1979). Ar deireadh tá roinnt dánta leis nár bailíodh in aon chnuasach. Ní beag an soláthar sin as a shaoilréim fhileata oirirc.

EOGHAN Ó hANLUAIN

[16]

COINNLE AR LASADH

(Do mo Mháthair)

In oileán beag i gcéin san Iarthar
    Beidh coinnle ar lasadh anocht,
I dtithe ceann tuí, is i dtithe ceann slinne,
    Dhá cheann déag de choinnle geala a bheas ar lasadh anocht.

Mo chaoinbheannacht siar leis na coinnle geala
    A bheas ar lasadh anocht,
Is céad beannacht faoi dhó
    Le láimh amháin a lasfas coinnle anocht.

Oíche Chinn an Dá Lá Dhéag, 1939.

DO MHNAOI NACH LUAIFEAD

Nuair a luaitear d'ainm liom,
   A bhean nach luaifead féin,
Ní osclaímse mo bhéal
   Ach déanaim gáire beag.

Ní osclaímse mo bhéal
   Ar eagla mo rún a scéitheadh,
Rún nach eol dóibh siúd
   A luann d'ainm liom.

Lionndubh a bhíos os cionn
   An gháire sin a ním,
Ach bród a bhíos ina dháil
   Faoin aithne a chuireas ort.

Faoin aithne a chuireas ort,
   Faoin gcomhrá béil is suilt,
Ní osclaímse mo bhéal,
   A bhean nach luaifead féin.

FAOISEAMH A GHEOBHADSA

Faoiseamh a gheobhadsa
Seal beag gairid
I measc mo dhaoine
Ar oileán mara,
Ag siúl cois cladaigh
Maidin is tráthnóna
Ó Luan to Satharn
Thiar ag baile.

Faoiseamh a gheobhadsa
Seal beag gairid
I measc mo dhaoine,
Ó chrá croí,
Ó bhuairt aigne,
Ó uaigneas duairc,
Ó chaint ghontach,
Thiar ag baile.

NÁ FÁS GO FÓILL

Ná fás go fóill, a naí bhig óig
    A gháireann anois go haoibhiúil liom,
Go croíúil geal ó do chliabhán íseal,
    Go fáilí fáilteach gnaíúil cóir.

Tuige an bhfásfá suas go fóill
    Nuair domsa féin, monuar, is eol
Go gcruann le haois is d'éis baois
    An croí a bhí seal bog is óg.

Glacair liomsa anois mar atáim:
    Do ghnúis bheag gheal níl liomsa dúr,
Do shúile níl ceilteach ceisteach géar,
    Is áin liom tusa féin mar atáir.

Róluath do ghnúis bheadh liomsa dúr
    Is tú do mo dhíbirt ó do radharc is ó do dháil,
Is áin liom tusa anois mar atáir . . .
    Ná fás go fóill, a naí bhig óig.

DO NIAMH NIC GHEARAILT

(Banaisteoir d'éag Iúil 1939)

Beo bíogúil bhís,
Aerach croíúil bhís,
Cuideachtach caidreamhach bhís,
Éirimeach ildánach bhís,
I dteach do mhuintire
Ag fleá nó féasta,
Fial flaithiúil bhís;
    Teacht an bháis chugat
Ródhoiligh a chreidiúint.

B'fhearr linn a chreidiúint
Gur thuirsigh do pháirt thú
I ndráma an tsaoil seo,
Ar stáitse na beatha seo,
Is go ndeachais ar saoire uainn
Seal an-fhada uainn,
Ar saoire síoraí uainn,
Go Ríocht na Glóire uainn.

DÍNIT AN BHRÓIN

Nochtaíodh domsa tráth
Dínit mhór an bhróin,
Ar fheiceáil dom beirt bhan
Ag siúl amach ó shlua
I bhfeisteas caointe dubh
Gan focal astu beirt:
D'imigh an dínit leo
Ón slua callánach mór.

Bhí freastalán istigh
Ó línéar ar an ród,
Fuadar faoi gach n-aon,
Gleo ann is caint ard;
Ach an bheirt a bhí ina dtost,
A shiúil amach leo féin
I bhfeisteas caointe dubh,
D'imigh an dínit leo.

TNÚTH

Dhruideas na dallóga aréir
Ar fhuinneog mo sheomra,
Is mhúchas gach solas
Ach fannsholas gríosaí,
Gur tháinig do chumraíocht
Chugam dom aoibhniú:
D'aghaidh chaoin gheanmnaí
A léirigh d'anam geal,
Is na lámha is áille
Dá bhfuil ar aon mhnaoi.
Déanfad amhlaidh go minic feasta,
Óir is tusa domsa
An teoid dhofhála:
   Is níos gaire ná sin
   Ní bheir go brách dom.

SEAL BEAG DEN FHÓMHAR BHUÍ

Ba thógáil chroí is aigne dom
   Seal beag den Fhómhar Bhuí,
Do gháire is do ghlór binn
   Is fós do chomhrá caoin.

Ba leor liom ar an saol tú
   Seal beag den Fhómhar Bhuí,
Ag taisteal bóithre bána leat
   Faoi ghealaigh ghil na hoíche.

Seal beag den Fhómhar Bhuí,
   A aolchnis aoibhiúil mhín,
Ba ghairid liom gach aistear díobh
   Is tusa le mo thaobh.

CUIMHNÍ CINN

Maireann a gcuimhne fós i m'aigne:
Báiníní bána is léinte geala,
Léinte gorma is veistí glasa,
Treabhsair is dráir de bhréidín baile
Bhíodh ar fheara cásacha aosta
Ag triall ar an Aifreann maidin Domhnaigh
De shiúl cos ar aistear fhada,
A mhusclaíodh i m'óige smaointe ionamsa
Ar ghlaine, ar úire, is fós ar bheannaíocht.

Maireann a gcuimhne fós i m'aigne:
Cótaí cóirithe fada dearga,
Cótaí gorma le plúirín daite,
Seálta troma aníos as Gaillimh,
Bhíodh ar mhná pioctha néata
Ag triall ar an Aifreann mar an gcéanna;
Is cé go bhfuilid ag imeacht as faisean,
Maireann a gcuimhne fós i m'aigne
Is mairfidh cinnte go dté mé i dtalamh.

CUIREADH DO MHUIRE

An col duit, a Mhuire,
Cá rachair i mbliana
Ag iarraidh foscaidh
Do do Leanbh Naofa,
Tráth a bhfuil gach doras
Dúnta Ina éadan
Ag fuath is uabhar
An chine dhaonna?

Deonaigh glacadh
Le cuireadh uaimse
Go hoileán mara
San Iarthar cianda:
Beidh coinnle geala
I ngach fuinneog lasta
Is tine mhóna
Ar theallach adhainte.

Nollaig 1942

MAIDIN DOMHNAIGH

Mo sheanmháthair ar a glúine
Sa reilig ag urnaí
Maidin Domhnaigh gréine,
Is monabhar a guidhe
Á mheascadh go cumhra
Le crónán na ndúl beag aerga.

Féileacán ildaite
Is a ghlóir-réim á leathadh
Ar eite na leoithne séimhe,
Is dhearmad mé paidir
Mo sheanmháthar a fhreagairt
Is leanas le haiteas an t-iontas.

CUIMHNÍ NOLLAG

Is cuimhin liomsa Nollaigí
Nach bhfillfidh ar ais choíche,
Nuair a bhínn ag tarraingt gainimh
Is mulláin bheaga chladaigh
Is á scaradh os comhair an tí.

Is cuimhin liom an t-eidheann
Is an cuileann lena thaobh
Thuas ar bhallaí gheala,
Is boladh cumhra an aoil.

Is cuimhin liom na coinnle
Lasta i bhfuinneoga,
Is gach áras ina lóchrann geal
Ag soilsiú an bhóthair do Chríost.

Anois ag triall ar bhóithre an doichill dom
Is na cuimhní úd do mo chrá,
B'fhearr liom go mór díchuimhne
Ná méadú ar mo chás.

LEANNÁN DÁ GHRÁ A FUAIR BÁS

A bhogchnis aolda
Atá thíos fúm sínte,
Roinnfinn leatsa
Gach scéal is gach smaoineamh,
Óir uait níorbh eagal liom
Fonóid ná fiodmhagadh fúm,
Ach éisteacht chaoin chiúin
Mar ba ghnáth leat tráth.

Ach na cluasa beaga
D'éistíodh le mo ghuthsa,
Tá ualach den úir dhuibh
Idir iad is mo bhriathra.
Fuair na péiste is na míolta
Is na cruimhe urghránna
Tús cainte is comhrá
Ar do rún anocht.

ÓIGE AN FHILE

Bhínn ag déanamh fear de chlocha
Is á gcur go léir ag ól,
Ní bhíodh fear ar an mbaile
Nach mbíodh samhail agam dó.

Bhíodh na comharsain ag magadh fúm,
Is mo mháthair de shíor ag bagairt orm,
Ach níor thuigeadar ar aon chor mé,
An buachaill aisteach ciúin.

Ghreamaigh díom an galar úd
Is ní saor mé uaidh go fóill,
Is é a sheol ar bhóthar na n-aisling mé
Is a dhealaigh mé ón sló.

RÚN NA mBÁN

Tráthnóna Domhnaigh ab ionduala
Ansiúd iad cois tine,
Na mná agus na seálta
Casta ar a gcloigne,
Bhíodh tae ann i gcónaí
Ar ócáid den chineál,
Is braon ag dul thart de
Ó dhuine go duine.

Thosaíodh an chaint
An broideadh is an sioscadh,
Uille ar ghlúin ag cur leis na focla;
D'ordaítí mise amach ar na bóithre,
Gan a bheith istigh ag slogadh gach focail,
Go mba folláine amuigh mé
Ar nós mo leithéid eile.

D'imínn sa deireadh,
M'aghaidh lasta is mé gonta
Ach is mairg nach bhfanainn:
Nuair a smaoiním anois air
Cá bhfios cén rúndiamhair
Nach eol d'aon fhear beirthe
A phiocfainn ó mhná
Scartha thart ar thine,
Iad ag ól tae
Is seálta ar a gcloigne?

BÍODH ACU SIÚD

Is beag dá bhfeiceann
Ag siúl an bhealaigh thú,
Is do cheann go hard,
A fheiceann ach cruas
I do ghnúis a choinníos rún,
Ná chreidfeadh choíche
Ó d'imeacht ríonda
Go ligfeadh do chroí duit
Bheith ar aon nós ach go dúr:
Bíodh acu siúd.

Bíodh do cheann go hard
Mar is beag acu
A chuala do scairt gháire
Mar a chuala mise,
Ná a chonaic lena linn
An déad geal dár thugas taitneamh
Is mé faoi dhraíocht
Ag an imeacht ríonda
Is ag an ngnúis a choinníos rún:
Bíodh acu siúd.

SAOILNEAS

Dhéanfainn fáinne den bhogha báistí
A chuirfinn ar do mhéir, a rún,
Is shiúlfainn Bealach na Bó Finne
Lámh ar láimh leat, a ainnir chiúin.

Bheadh na réalta mar choinnle gléine
Ag soilsiú an bhealaigh dúinn
Is an ghealach féin in éad leat,
A ghile an bhogchnis úir.

GNÚIS DHIL MO RÚIN

(Do Áine)

'An bhfeictear duit', a deir mo rún,
'Ainmhithe sa spéir
Le linn mearathrú ar chrot na néall?
Nó an bhfeictear duit fós
I ngach scamall fáin
Cumraíocht fir, nó caoinchrot mná?'

'An bhfeictear duit', a deir mo ghrá
'Sióga ar an bhféar
Ag rince go haerach
Le ceol na n-éan,
Nó an bhfeictear duit,
Mar a fheictear dom féin,
Sna coinnlíní dearga
Atá ag éalú ón traein
Anamacha á seoladh
Le fán an tsaoil'?

'Ní fheictear, a rúin ghil',
A dúirt mé léi,
'Ní fheictear dom aon ní
Díobh sin go léir;
Nuair a shíneann tusa
Chucu do mhéar,
Bímse ag faire
Do ghnúis dhil féin.'

STOITE

Ár n-aithreacha bhíodh,
Is a n-aithreacha siúd,
In achrann leis an saol
Ag coraíocht leis an gcarraig loim.

Aiteas orthu bhíodh
Tráth ab eol dóibh
Féile chaoin na húire,
Is díocas orthu bhíodh
Ag baint ceart
De neart na ndúl.

Thóg an fear seo teach
Is an fear úd
Claí nó fál
A mhair ina dhiaidh
Is a choinnigh a chuimhne buan.

Sinne a gclann,
Is clann a gclainne,
Dúinn is éigean
Cónaí a dhéanamh
In árais ó dhaoine
A leagfadh cíos
Ar an mbraon anuas.

Beidh cuimhne orainn go fóill:
Beidh carnán trodán
Faoi ualach deannaigh
Inár ndiaidh in Oifig Stáit.

DÍOMÁ

Ní bhfuair mé riamh toirtín
A chuir gliondar ar a lán,
Uainín fann gan éitir,
Gan é lite ag a mháthair,
Níor shlad mé riamh nead éin,
Is ní le gaisce atáim á rá;
Níor rug mé ar éan aille
Mar nach ndeachaigh mé ina ghábh:
Ach chonaic mé an t-iontas lá
Ag ciumhais na dtonn cois trá,
É ag spréacharnaigh faoin ngréin ghil
Is léim mo chroí le háthas,
Ach nuair a shroicheas taobh na taoille
Céard a gheobhainn romham ann
Ach liathróid gheal ghloine
A choinníodh líonta ar snámh.

AN NIACHAS D'ÉAG

(Do Mhícheál 'Eoghan' Ó Súilleabháin)

An niachas d'éag
Nuair a d'éag tú, a Mhichíl,
Is faoin gcré leat síos
Chuaigh an uaisleacht chaoin
A shiúil leat go dlúth
Ar bhóithre an tsaoil,
Is nár thréig tú riamh
Mar mhaithe le daoithe.

Dob eol dúinn féin
Do chroí is do mheon
Is do chaidreamh groí
Le Gaeil i ndáil,
Is tuigtear dúinn
Anois le cumha
An niachas gur éag
Nuair a d'éag tú, a Mhichíl.

AN tEARRACH THIAR

Fear ag glanadh cré
De ghimseán spáide
Sa gciúnas séimh
I mbrothall lae:
    Binn an fhuaim
    San Earrach thiar.

Fear ag caitheamh
Cliabh dá dhroim,
Is an fheamainn dhearg
Ag lonrú
I dtaitneamh gréine
Ar dhuirling bhán:
    Niamhrach an radharc
    San Earrach thiar.

Mná i locháin
In íochtar díthrá,
A gcótaí craptha,
Scáilí thíos fúthu:
    Támhradharc sítheach
    San Earrach thiar.

Tollbhuillí fanna
Ag maidí rámha,
Currach lán éisc
Ag teacht chun cladaigh
Ar órmhuir mhall
I ndeireadh lae;
    San Earrach thiar.

ÁRAINN 1947

Feadaíl san oíche
Mar dhíon ar uaigneas,
Mar fhál idir croí is aigne
Ar bhuairt seal,
Ag giorrú an bhealaigh
Abhaile ó chuartaíocht,
An tráth seo thiar
    Níor chualas.

Amhrán aerach,
Scaradh oíche is lae,
Ó ghroífhear súgach,
Gaisce ard is goití dúshláin
Is gach uaill mhaíte
Ag scoilteadh clár an chiúnais,
Tráth a mbíodh gníomha gaile a shinsear
Á n-aithris do dhúile an uaignis,
An tráth seo thiar
    Níor chualas.

Liú áthais ná aitis
Ó chroí na hóige
Ag caitheamh 'cloch neart'
Mar ba dhual tráthnóna Domhnaigh,
Nó ag cur liathróid san aer
Le fuinneamh an bhuailte,
An tráth seo thiar
    Níor chualas.

Ní don óige feasta
An sceirdoileán cúng úd.

MAITH DHOM

I m'aonar dom aréir,
I mo shuí cois mara,
An spéir ar ghannchuid néal
Is muir is tír faoi chalm,
Do chumraíocht ríonda
A scáiligh ar scáileán m'aigne
Cé loinnir deiridh mo ghrá duit
Gur shíleas bheith in éag le fada.

Ghlaos d'ainm go ceanúil
Mar ba ghnách liomsa tamall,
Is tháinig scread scáfar
Ó éan uaigneach cladaigh;
Maith dhom murarbh áil leat
Fiú do scáil dhil i m' aice,
Ach bhí an spéir ar ghannchuid néal
Is muir is tír faoi chalm.

Ó MÓRNA

A ródaí fáin as tír isteach
A dhearcann tuama thuas ar aill,
A dhearcann armas is mana,
A dhearcann scríbhinn is leac,
Ná fág an reilig cois cuain
Gan tuairisc an fhir a bheith leat.

Cathal Mór Mac Rónáin an fear,
Mhic Choinn Mhic Chonáin Uí Mhórna,
Ná bí i dtaobh le comhrá cáich,
Ná le fíor na croise á ghearradh
Ar bhaithis chaillí mar theist an fhir
A chuaigh in uaigh sa gcill sin.

Ná daor an marbh d'éis cogar ban,
D'éis lide a thit idir uille
Is glúin ar theallach na sean,
Gan a phór is a chró do mheas,
A chéim, a réim, an t-am do mhair,
Is guais a shóirt ar an uaigneas.

Meas fós dúchas an mhairbh féin
D'eascair ó Mhórna mór na n-éacht,
Meabhraigh a gcuala, a bhfaca sé,
Ar a chuairt nuair a d'éist go géar,
Meabhraigh fós nár ceileadh duais air,
Ach gur ghabh chuige gach ní de cheart.

Chonaic níochán is ramhrú dá éis,
Chonaic mná ag úradh bréidín,
Gach cos nocht ó ghlúin go sáil
Ina slis ag tuargain an éadaigh,
Bean ar aghaidh mná eile thall
Ina suí suas san umar bréige.

Chonaic is bhreathnaigh gach slis ghléigeal,
Chonaic na hógmhná dá fhéachaint,
Dá mheas, dá mheá, dá chrá in éineacht.
D'fhreagair fuil an fhireannaigh thréitheach,
Shiúil sí a chorp, las a éadan,
Bhrostaigh é go mear chun éilimh.

'Teann isteach leo mar a dhéanfadh fear,
Geallaimse dhuit go dteannfar leat,
Feasach iad cheana ar aon nós,
Nach cadar falamh gan géim tú,
Ach fear ded' chéim, ded' réim cheart.'
Pádhraicín báille a chan an méid sin.
Briolla gan rath! mairg a ghéill dó.

Iar ndul in éag don triath ceart
Rónán Mac Choinn Mhic Chonáin,
Ghabh Cathal chuige a chleacht,
A thriúcha is a chumhachta
A mhaoir, a bháillí go dleathach,
A theideal do ghabh, is a ghlac.

An t-eolas a fuair sna botháin
Nuair a thaithigh iad roimh theacht i seilbh,
Mheabhraigh gach blúire riamh de,
Choigil is choinnigh é go beacht,
Chuaigh chun tairbhe dó ina dhiaidh sin
Nuair a leag ar na daoine a reacht.

Mheabhraigh sé an té bhí uallach,
Nach ngéillfeadh go réidh dá bheart,
Mheabhraigh sé an té bhí cachtúil,
An té shléachtfadh dó go ceart,
Mheabhraigh fós gach duais iníonda
Dár shantaigh a mhian ainsrianta.

Mhair ár dtriath ag cian dá thuargain,
Ba fánach é ar oileán uaigneach,
Cara cáis thar achar mara
B'annamh a thagadh dá fhuascailt,
Is théadh ag fiach ar na craga
Ag tnúth le foras is fuaradh.

Comhairlíodh dó an pósadh a dhéanamh
Le bean a bhéarfadh dó mar oidhre
Fireannach dlisteanach céimeach
Ar phór Uí Mhórna na haibhse,
Seach bheith dá lua le Nuala an Leanna,
Peig na hAirde is Cáit an Ghleanna.

An bhean nuair a fuair Ó Mórna í
Níor rug aon mhac, aon oidhre ceart;
Níor luigh Ó Mórna léi ach seal,
Ba fuar leis í mar nuachair;
Ina cuilt shuain ní bhfuair a cheart,
É pósta is céasta go beacht.

Imíonn Ó Mórna arís le fuadar,
Thar chríocha dleathacha ag ruathradh,
Ag cartadh báin, ag cartadh loirg,
Ag treabhadh faoi dheabhadh le fórsa,
Ag réabadh comhlan na hóghachta,
Ag dul thar teorainn an phósta.

Ag réabadh móide is focail
Ag réabadh aithne is mionna,
A shúil thar a chuid gan chuibheas,
Ag éisteacht cogar na tola
A mhéadaigh fothram na fola,
Ina rabharta borb gan foras.

Ceasach mar mheasadh den chré lábúrtha
Leanadh Ó Mórna cleacht a dhúchais,
Thógadh paor thar chríocha aithnid,
Go críocha méithe, go críocha fairsing,
Dhéanadh lá saoire don subhachas
Dhéanadh lá saoire don rúpacht.

Maoir is báillí dó ag fónamh
Ag riaradh a thriúcha thar a cheann,
Ag comhalladh a gcumhachta níor shéimh,
Ag agairt danaide ar a lán,
An t-úll go léir acu dóibh féin
Is an cadhal ag gach truán.

Sloinnte na maor a bheirim díbh,
Wiggins, Robinson, Thomson, agus Ede,
Ceathrar cluanach nár choigil an mhísc,
A thóg an cíos, a dhíbir daoine,
A chuir an dílleacht as cró ar fán,
A d'fhág na táinte gan talamh gan trá.

Níor thúisce Ó Mórna ar ais
Ar an talamh dúchais tamall
Ná chleacht go mear gach beart
Dár tharraing míchlú cheana air:
Treabhadh arís an chré lábúrtha,
Bheireadh dúshlán cléir is tuata.

Tháinig lá ar mhuin a chapaill
Ar meisce faoi ualach óil,
Stad in aice trá Chill Cholmáin
Gur scaip ladhar den ór le spórt,
Truáin ag sciobadh gach sabhrain
Dár scaoil an triath ina dtreo.

Do gháir Ó Mórna is do bhéic,
Mairbh a fhualais sa reilig thuas
Ní foláir nó chuala an bhéic;
Dhearbhaigh fós le draothadh aithise
Go gcuirfeadh sabhran gan mhairg
In aghaidh gach míol ina n-ascaill.

Labhair an sagart air Dé Domhnaigh,
Bhagair is d'agair na cumhachta,
D'agair réabadh na hóghachta air,
Scannal a thréada d'agair le fórsa,
Ach ghluais Ó Mórna ina chóiste
De shodar sotail thar cill.

D'agair gach aon a dhíth is a fhoghail air,
D'agair an ógbhean díth a hóghachta air,
D'agair an mháthair fán a háil air,
D'agair an t-athair talamh is trá air,
D'agair an t-ógfhear éigean a ghrá air,
D'agair an fear éigean a mhná air.

Bhí gach lá ag tabhairt a lae leis,
Gach bliain ag tabhairt a leithéid féin léi,
Ó Mórna ag tarraingt chun boilg chun léithe
Chun cantail is seirbhe trína mheisce,
Ag roinnt an tsotail ar na maoir
Ach an chruimh ina chom níor chloígh.

Nuair a rug na blianta ar Ó Mórna,
Tháinig na pianta ar áit na mianta:
Luigh sé seal i dteach Chill Cholmáin,
Teach a shean i lár na coille,
Teach nár scairt na grásta air,
Teach go mb'annamh gáire ann.

Trí fichid do bhí is bliain le cois,
Nuair a cuireadh síos é i gCill na Manach
D'éis ola aithrí, paidir is Aifreann;
I measc a shean i gCill na Manach
I dteannta líon a fhualais,
Ar an tuama armas is mana.

An chruimh a chreim istigh san uaigh tú,
A Uí Mhórna mhóir, a thriath Chill Cholmáin,
Níorbh í cruimh do chumais ná cruimh d'uabhair
Ach cruimh gur cuma léi íseal ná uasal.
Go mba sámh do shuan sa tuama anocht
A Chathail Mhic Rónáin Mhic Choinn.

FAOISTINÍ

D'fhaigheadh Dia A chion den lá
Faoi dhó gach bliain,
Um Nollaig, um Cháisc,
Nuair a thagadh i láthair
Chun cuntais chun aithrí,
An chré bheo, an chré dhealbh,

D'fhaigheadh Dia A chion den lá
Ó chladach, ó charraig,
Ó ghort, ó eallach,
Ó mhuir, ó eangach,
Ó thrá, ó thalamh,
Nuair a thagadh i bpáirt
Dáil na bpeacach.

Ní hionann na peacaí
A ghineann an só
Is a ghineann an t-anó,
A ghineann an ró
Is a ghineann an t-anró,
A dhéanann an sách
Is a dhéanann an falamh.

A ghineann an chathair
Is a ghineann an charraig,
A dhéanann an lag
Is a dhéanann an láidir,
A dhéanann an sean
Is a dhéanann an t-óg.
Ní hionann a ngné,
Ní hionann a méid.

Chuirtí na peacaí
Ar shreangán na cuimhne,
Is peacaí eile
Nár pheacaí in aon chor,
Mar dhúil go réiteodh
Sagart Dé iad.

Cé bhac a bhráthair
Faoi chosán, faoi thobar?
Cé dúirt go maithfeadh
Dá chomharsa anuraidh
Is nár bheannaigh
Ar bhealach fós dó?

Cé tharraing achrann
In adhairt na feamainne?
Cé bhagair crúca,
Spáid nó píce?
Cé chuir speir ar ghabhar,
Ar uan, ar chaora?
Ní féilire siopa
Bhíodh ag na daoine,
Ach féilire na ndál,
An mhargaidh, an aonaigh:
Cá fhad ó bhí mé ag faoistin cheana?
An lá ar thug mé an churach
Ó mhac Tom Aindí?
An lá ar thug mé an bhó
Ar aonach na faiche?
An lá ar cheannaigh mé
Na cáblaí i gCinn Mhara?
An mb'fhearr an seansagart
Ar an teallach abhus,
Ná an sagart óg
Sa seomra istigh?

Sin í sa gcúinne í
Peigín Thomáis.
An inseoidh sí féin é?
An inseoidh mise é?
An deochadh ar na craga
Faoi aill an tobair,
Ag garraí an aitinn?
Dheamhan a dhath dochair,
Ach b'fhearr taobh an ghlais
Ná taobh an aimhris.

D'aithris na daoine
An scéal fada ar an anró
A rinne a sinsir
Le cian a aithris,
Is tumadh a n-anam
I sruth na ngrásta,
Sciúradh is glanadh
Le slis na haithrí
Is briathra Laidne;
Briathra nár thuig
Ach gur thuigeadar astu.

Chonaic na daoine
Sagart is cléireach leis,
Chonaic an t-arán
Nárbh arán é feasta,
Ach abhlann bhán,
Lón a n-aistir.
Chonaic na daoine an fíon
Nárbh fhíon é feasta,
Ach fuil an Uain
A sileadh ar an gcrann
Chun leigheas na bpeacach,
Is rinne na daoine teanntás,
Gur ghlac clann an talaimh
An Tabhartas Neamhga.

Bhí an spáid sáite
San iomaire ag fanacht,
An fheamainn le cocadh
Is tuilleadh le scaradh,
An t-asal le srathrú,
Is fós an capall,
An bhó sa bpáirc
Le bleán gan dearmad,
Is d'fhág na daoine slán
Ag Ord is ag Aifreann,
Ag Dia na nGrást
Is ag an sagart.

FÍS AN DAILL

Bhí seanchaí ar m'aithne,
É liath agus dall,
A d'aithris an méid seo
Do scata gan aird:
'Bíonn longa faoi sheolta bána
Ar farraige thiar,
Is fós faoi shoilse geala'
Ar an seanchaí liath.
'Bíonn fir is mná ina gcéadta ar bord
Is iad gléasta go gléigeal'
Ar an seanchaí dall.
'Bíonn fíon is beoir is feoil le fáil
Is iad á roinnt ar chách go fial'
Ar an seanchaí liath.
Is chonaic mé an scata
Ina thimpeall ag magadh
Is dúirt duine amháin
Nach raibh ann ach dall
Is nach raibh ina chaint
Ach rámhaillí ard;
Is chonaic mé gné
An tseanchaí léith
Is í ar lasadh ag fís na háille,
Is d'éirigh mé faoi fheirg
Gur fhág mé an áit,
Is gur dhúras nárbh eisean
Ach iadsan a bhí dall.

A FHAOILEÁIN UCHTBHÁIN

A fhaoileáin uchtbháin
Méanar duit mar táir,
Ar muin na mara glaise,
Is lonnaí laga gan chás
Ag déanamh láíocht
Le do bhrollach.

A fhaoileáin uchtbháin
Déan malairt liom fiú lá,
Go gcuirfead díom crá
Ar bharr na toinne,
Go mbeidh lonnaí laga gan chás
Ag déanamh láíocht
Le mo bhrollach.

A DÚCHAS BEICHE

Gluais leat, a shrutháin bhig,
Can do phort ós áil leat,
Ach ná maígh as fios ar bith
A fuairis romhamsa cheana.

Fios a cluana agat romham
Ní ábhar maíte duit,
Óir cian sarar ghabhas an ród
Chuaigh a sórt eile an bealach.

D'éist laoi seirce mo leithéid,
Ghlac na comharthaí ceana,
Is lean dá n-éis go léir
A dúchas beiche feasta.

FOGHA AN BHÁIS

Tháinig an bás mar shaighead
Trí shá-ruathar gainéid,
Tráth a raibh gaethe gréine ag súgradh
Ar chlár na mara gloiní.

Tháinig an bás mar lasair bhán
Chun an éisc bhig gan choinne,
Ach b'álainn fogha an bháis
Don fhile ar a fheiceáil.

ÁINLÍ

(Do Áine)

Ní anseo is dúcha díbhse
Ach thiar sa dúthaigh gharbh,
An amhlaidh sibh ar seachrán
Ó thor go tor gan tearmann?

Fillíg ar an mbaile,
Tá Eoghainín thiar ag faire,
Brónach é in bhur ndiaidh,
Fada é ag fanacht.

[47]

DO PHEGG MONAHAN

(Bean Phádraic Uí Raghallaigh)

Níl bean eile ar m'aithne
Gur éirigh léi mar d'éirigh leatsa
Tuigse shaolta is saontacht
A réiteach lena chéile;
Amhail duine thú a dhearc
I gcroí an tsaoil isteach,
Is a chonaic ann gan bhréag
An t-olc agus an mhaith,
An gol agus an gáire,
Ach nach ndeachadar go léir
Ná an chealg ghontach chlaon
Ariamh os cionn do gháire;
An t-olc agus an gol
Do radais iad uait,
Is choinnigh tú an mhaith
In aice le do gháire.

SÍTHCHOGAR

Seanmhná ag tomhais éadaigh
Cromadh ar chromadh go mall,
Grian na nóna ag síneadh
A géag síoda ón doras.

An tsíocháin a shnámh ar an mball,
Dar liom gur tháinig anall,
Gur ghlac chuici mo lámh
Is gur labhair liom i gcogar.

[48]

GLEIC MO DHAOINE

Cur in aghaidh na hanacra
Ab éigean do mo dhaoine a dhéanamh,
An chloch a chloí, is an chré
Chrosanta a thabhairt chun míne,
Is rinne mo dhaoine cruachan,
Is rinne clann chun cúnaimh.

Dúshlán na ndúl a spreag a ndúshlán,
Borradh na fola is súil le clann ar ghualainn
A thug ar fhear áit dorais a bhriseadh
Ar bhalla theach a dhúchais,
Ag cur pota ar leith ar theallach an dóchais.

Slíodóireacht níor chabhair i gcoinne na toinne,
Ná seifteanna caola i gcoinne na gcloch úd,
Ionas nárbh fhearr duine ná duine eile
Ag cur ithir an doichill faoi chuing an bhisigh;
Gan neart na ngéag ba díol ómóis
Fuinneamh na sláinte is líon an chúnaimh.

GÁIRE NA hEAGLA

*(Do mo dhearth*áir Seán a d'éag Bealtaine 1946. R.I.P.)*

Chuaigh beirt thar chlaí ar chreig na leacht
Gur chuir cloch ar chloch eile trasna,
Tráth ar stadadh an cróchar ala,
Ag géilleadh do ghnás nárbh eol a thús do neach.

Ar tí filleadh don dís do thit na clocha
Is do gháir na daoine faoi choim;
Má thugais guth orthu ó do charcair chláir,
A n-eagla féin faoi deara a ngáire.

Toisc eagla chráite gach aon againn
Roimh an ród atá romhainn dá fhad ár gcairde,
A dheartháirín m'anama istigh
Maith dhúinn go léir ár ngáire.

DEIREADH RÉ

Fir na scéal mo léan!
Is an bás á leagadh,
Mná na seál á leanacht
Is mise fós ar marthain
I measc na bplód gan ainm,
Gan 'Cé dhár díobh é' ar a mbéal
Ná fios mo shloinne acu.

Ní háil liom feasta dar m'anam
Dáimh a bhrú ar chlocha glasa!
Ní fáilteach romham an charraig,
Mé ar thóir m'óige ar bealach,
Mé i m'Oisín ar na craga,
Is fós ar fud an chladaigh,
Mé ag caoineadh slua na marbh.

BUA NA MARA

(*Do Phádraic Ó Concheanainn*)

Ní mhairfidh na fir fada
Feasta san oileán rúin,
Ní bheidh neach ar an gcladach
Chun dúshlán na mara a thabhairt;
Cuirfidh an fharraige
An sceirdcharraig úd
Faoina glas-smacht dubhach,
Canfaidh sí a buachaintic —
Sin creill an oileáin rúin.

CUIMHNE AN DOMHNAIGH

Chím grian an Domhnaigh ag taitneamh
Anuas ar ghnúis an talaimh
San oileán rúin tráthnóna;
Mórchuid cloch is gannchuid cré
Sin é teist an sceirdoileáin,
Dúthaigh dhearóil mo dhaoine.

Chím mar chaith an chloch gach fear,
Mar lioc ina cló féin é,
Is chím an dream a thréig go héag
Cloch is cré is dúthaigh dhearóil,
Is chímse fós gach máthair faoi chás
Ag ceapadh a háil le dán a cuimhne.

DO MHÁIRE NIC GIOLLA MHÁRTAIN

Cá bhfuilid na mná ríonda
A chuiris dúinn ar chláir?
Isoild bhán is Deirdre,
Is an naomhbhean Siobhán,
Is tuilleadh den bhuíon iníonda
A dhuinigh as marbhphár,
Tráth raibh clann do chathrach dílse
Faoi chomaoin ag do dhán,
Sular fhágais do thaibhríocht,
Tú féin is gach taibhneach mná.

ÉAMH AN ÉIGIS

Ba taca seal don Éigse
An brog, an choill, an stór,
Na glaca geala d'fhóir,
An aicme a char an éirim.

Éacht an chine d'éis a bpeannaide
A bhain den bhrog a gháir,
A chuir an choill ar lár,
A chuir fán ar chairde an éigis.

Cé chuaigh ar a n-áit?
Cantar fíor cé géar an tásc,
Chuaigh clann na daidhce suas,
Ghabh flaitheas an dochtaicme.

Tá an éigse cheana
Is beidh feasta gan aird,
Mar dhream a bheadh mall
I dtosach na biaiste.

CAOIN TÚ FÉIN, A BHEAN

Ar an drochuair duit
A tharla i do dháil an fear,
Níor dhea-earra é riamh,
Níor dhea-thuar a theacht.

Rinne cloch de do chroí íogair
Nuair a chuir i do chluais an fríd
A chuir cor i leamhnacht na beatha ort,
A rinne meadhg de do shaol.

D'eascair sé ón dream dorcha
Ar geal leo an oíche,
An oíche is an claonchogar
Bia is beatha dá bhuíon.

Caoin tú féin anois, a bhean!
Cé mall an gol sin agat,
Fadó a chaoin mise thú,
Níl deoir eile agam.

An toisc a thug tú chun mo dhaoine
Ón gcéin mhéith don charraig gharbh
Ba chéile léi an chré bheo
Is an leid a scéith as léan is danaid.

Níor éistis scéal na gcloch,
Bhí éacht i scéal an teallaigh,
Níor spéis leat leac ná cill,
Ní thig éamh as an gcré mharbh.

Do dhuinigh Deirdre romhat sa ród
Is curach Naoise do chas Ceann Gainimh,
D'imigh Deirdre is Naoise leo
Is chaith Peigín le Seáinín aithis.

An leabhar ba ghnáth i do dhóid
As ar chuiris bréithre ar marthain;
Ghabh Deirdre, Naoise is Peigín cló
Is thug léim ghaisce de na leathanaigh

Tá cleacht mo dhaoine ag meath,
Ní cabhair feasta an tonn mar fhalla,
Ach go dtaga Coill Chuain go hInis Meáin
Beidh na bréithre a chnuasaís tráth
Ar marthain fós i dteanga eachtrann.

TEAMPALL AN CHEATHRAIR ÁLAINN

A fhothraigh chrín!
A chill an rúin!
Cérbh iad an ceathrar naomh?
An ceathrar álainn úd,
Atá sínte faoi do bhinn.

Ní feas do neach
Cérbh as do thriall
Ná fáth a dteacht ó chéin
Ach gur cheathrar iad
A char an Briathar,
Cuing an Chrábhaidh
Is buarach Dé.

Ní dán dóibh feasta
Tráth ná clog,
Ó leagadar díobh
A gcarcair choil,
Nuair a thiomnaigh siad
Don chré a gcorp,
Is a n-anam do Rí na nGrást.

Tá buannacht ag Dia
Ar an áit ó shin,
Is A shíocháin mar chochall
Thart ar an mball,
Is ní scéithfir a rún,
A fhothraigh chrín.

BUAILE BHEAG

Buaile bheag ar éadan creige
A fuaireas dom féin,
Míorúilt mar tharla ann
Caonach is paiste féir,
Fearann coimirce m'aislinge,
Mo dhomhan go léir.

Bíonn buaile ag gach éinne
Tráth éigin dá ré,
Mairg a thréigeann
Ar chonair aimhréidh,
Sa tréigint bíonn éag.

Cá bhfuilir a bhuaile
A fuaireas dom féin?
A thearmainn m'aislinge!
Mairg mé uait i gcéin,
Is gur éagas faoi chéad
Ó luíos ar d'ucht faoi shéan.

BRÓN MO MHÁTHAR

Chuaigh an sagart ag cur céille
I mo mháthair a bhí buartha,
Le briathra a tháinig anall
Le Pádraig thar sáile,
Is dúirt go raibh a mac ag Dia.

Tháinig na mná isteach go mall:
Thug gnás an cháis leo ina seál,
Shníomh anonn, is shníomh anall,
Chaoin a gcás is cás a ndaoine,
Is dúirt go mba mhó páis Chríosta.

Tháinig na fir isteach ó na goirt:
Níor shníomh a sníomh ach pianbhroid,
Chomh balbh leis an marbh féin
Gan gnás an cháis ag aon fhear.

Pádraig, ná Oisín mo léan!
Ní ruaigfeadh buairt mo mháthar,
An bás féin a dhéanfadh é,
Ach scaradh lena maicín bán.

AN TÓINMHID

Chuaigh óinmhid thart ar fud an Aonaigh
Ag agairt an tslua is á ngríosadh,
D'agair gach aon de chlann an chúraim
Is dúirt leo go léir le dúthracht:
'Scaoil d'Éan chun na Gréine,
Scaoil d'Éan chun na Gréine'
Níor thuig an slua an agairt,
Níor thuig ach caint an mhargaidh,
Níor thuig ach reic is ceannach,
Do ghlac leis an óinmhid fearg,
Do shaighid an daoscar garg
A mhairbh ar an láthair é;
Ach tháinig Aingeal i lár an Aonaigh
A d'ardaigh a anam go láthair an Tiarna,
File, Fáidh, is Naomh in aon
As géibheann na gnáthaíochta saor.

TEAGHLACH ÉINNE

Fóill, a ghaineamh, fóill!
Fearann tearmainn, seachain!
Cosc do ghnó mall,
Do ghnó foighdeach fág,
Is téadh Cill Mhic Chonaill slán.

Éanna Mac Chonaill Dheirg
Triath Oirialla ba oirearc,
Do thogh an áit mar ionad
Mar scoil léinn don iomad
A chuir a cáil thar críocha.

Fóill, a ghaineamh, fóill!
Stad is lig don bhall,
Fág binn, stua, is doras;
Ní cuibhe ar shaothar Mhic Chonaill
Brat an dearmaid ar deireadh.

[59]

AN STAILC

Scilling bhreise an focal faire!
Ó bhéal na mbocht, ó chlann an duig,
Scilling a dhiúltaigh na toicí móra,
Scilling bhreise san uair do na fir,
'Ne'er a wing, ne'er a wet.'

Scilling an focal, scilling an déirce
A tharraing ar na toicí racht na mbocht,
Na cruimhe á gcreimeadh thíos faoi na fóda
Á ghuidhe dóibh arís le fórsa
'Ne'er a wing, ne'er a wet.'

Droim le balla ag caoineadh an tuillimh,
Ag agairt na hainnise ar an sotal,
Scilling an focal, scilling an t-éileamh,
Bia, deoch, cíos is éadach,
'Ne'er a wing, ne'er a wet.'

Scilling á hiarraidh, beart is daonna
Ná codáin á ríomhadh mar éileamh,
Á ríomhadh ar chaoi nach léir dom,
Fios a d'fhionnas ó chlann an duig,
'Ne'er a wing, ne'er a wet.'

AN SMÉIS

Ar a ghlór do bhraitheas a shórt,
An sórt gur nós acu an mionéitheach,
Gur follas a ngáire cnáide is leor
Chun mo leithéid shaonta a chur ó dhoras.

Más saonta féin ní dall,
Is níor chall dom síneadh radhairc
Thar achar spáis, chun draothadh na sméise
A fheiceáil ar a bhéal, is smulc sách.

Chonac aghaidh shásta an té
Nár theagmhaigh leis crá ná pian,
Nár fhág an grá air a rian,
An té a d'fhág bealach na páise.

An té nár scairt na grásta air,
Nár bhlais den Cháisc riamh,
Nár chuir a chroí ar tuar,
Go mba chomhad a adhairt shuain.

Gach giolla mar eisean,
Gach briolla gan éifeacht,
Mairg a Mhic Mhuire!
File ina gcleith anois.

DEIREADH OILEÁIN

Trua bheith fireann ar an uaigneas
Gan ach cian sa teach is duairceas,
Cumas gach fir ag dul chun fuaire
Ó ghlac an cian mar chéile suain.

Má obaid ár mná dá n-ualach,
Má thréigid cré, cloch, gach dualgas,
Dár dhual dá máithreacha a thuargadh,
A ndaoradh ní ceart i mo thuairim.

Má obaid fós do smacht an ghnáis,
Má éalaíd leo ó chogar cáich,
A ndaoradh arís ní cóir dá bharr,
Ní peaca bheith baineann thall.

Tá an saol céadra i ngach áit
Ag meath go mear gach lá,
Fir is an cian ag céadladh de ghnáth
A thuarann go luath a bhás.

NA TURAIS

Oíche Fhéile Sin Seáin
Is tinte cnámh in éag,
Bheiridís leo fir is mná
Gach duine a phluid féin,
Thugadh aghaidh ar chill,
Ar thobar, ar leaba naoimh,
Is thugadh cion an ghnáis
I bpáirt do Dhia.

Gan Ord, gan Aifreann
Gan riar na cléire,
Thar thobar beannaithe,
Thar atharla is leaba,
Thar chinnleac, thar charn,
Chaitheadh dáil na bpeacach
Ag bréagadh na bhflaitheas
Ó oíche go maidin.

LEIGHEAS NA hEAGLA

An cuimhin libhse an malrach
A ghoin sibh go deacrach,
Tráth ar chuir sibh thart scéal
Is nath ó dhuine go duine
Is m'athair ag fanacht
Lena chónra chláir uaibh?

Murar cuimhin fós, a fheara,
Ní thógaim oraibh feasta é,
Is gur fadó a dáileadh
Libh féin an chré dhubh,
Is go dtuigim le sealad
Nach bhfuil leigheas ar an eagla
Ach scéal, is nath, is gáire.

ÁR gCUID DÁ CHÉILE

Tá cuid agat díom thall,
Tá cuid agam díot abhus,
Ag Áth na Scairbhe fós
Tá cuid den bheirt againn.

Cuid mhór ag Gleann na Smól,
Ag Brí, ag Seanchill,
Ag Gleann Cormaic tá cuid,
Cuid eile ag Gleann Dubh.

Seol anall thar achar mara
Mo dhíchéille féin go beo,
Seol an gad seirce anall
A snaidhmeadh tráth le póg.

Más caolsnáth caite an gad,
Tú féin do spíon é amhlaidh,
Dual ar dhual do spíonais é;
Ar fhigh tú ó shin a shamhail?

CRANNA FOIRTIL

Coinnigh do thalamh a anam liom,
Coigil chugat gach tamhanrud,
Is ná bí mar ghiolla gan chaithir
I ndiaidh na gcarad nár fhóin duit.

Minic a dhearcais ladhrán trá
Ar charraig fhliuch go huaigneach;
Mura bhfuair éadáil ón toinn
Ní bhfuair guth ina héagmais.

Níor thugais ó do ríocht dhorcha
Caipín an tsonais ar do cheann,
Ach cuireadh cranna cosanta
Go teann thar do chliabhán cláir.

Cranna caillte a cuireadh tharat;
Tlú iarainn os do chionn,
Ball éadaigh d'athar taobh leat
Is bior sa tine thíos.

Luigh ar do chranna foirtil
I gcoinne mallmhuir is díthrá,
Coigil aithinne d'aislinge,
Scaradh léi is éag duit.

MO MHÁTHAIR

Go mall san oíche bhíodh an t-airneán againn,
Mo mháthair ag cniotáil go ciúin faoin lampa,
Mise ag tógáil cian di, ag faire na haithinne
A choinníodh teas linn ar theallach falamh:
Mo mhallacht ar an dán a d'fhág sinn amhlaidh.

Nuair a chímse ar an tsráid puisbhean chathrach,
A geansaí uirthi thuas, a maidrín ar a baclainn,
Ag muirniú chuici ansacht a hanama,
Chím arís mo mháthair ag baile
Ag cniotáil go ciúin ar theallach falamh.

DO DHARACH Ó DIREÁIN

(Seanchaí as Eoghanacht, Árainn, a d'éag Eanáir 1950)

Cén scéal, a Dharaigh, ón tír úd thall?
Ar casadh Seáinín ort ná Séamus fós?
An bhfuil Mac Rí Éireann féin san áit?
An bhfuil Fionn Mac Cumhaill ná Conán ann?
An raibh an Chailleach Bhéara romhat sa ród?
Scaoil chugainn do scéal, a Dharaigh chóir!

Chuireas do thuairisc uair ar Cháit
Ach d'fhágais ise féin gan tásc;
Fóir orainn, a Dharaigh, go beo,
Is aithris dúinn gach eachtra i gceart,
Ach b'áil liom a rá cén mhaith bheith leat,
Tá an fód, mo léan, i do bhéal go beacht.

IASCAIRÍ AN CHLADAIGH

Fada an seasamh agaibh é,
Cois Teampall Mhuire ansiúd thiar,
Bhur gcúl le tír, is le cill féin,
Bhur súile sínte tar muir siar.

Tá réim an éisc thart le fada,
Sibhse anois iarmhar na mara,
Gach fear mar dhealbh mharmair
Ar shaol bhur sean go seasta.

Éistíg le fead na hadhairce
Ag fuagairt cath ar bhur gcleacht,
Thoir sa gcathair a séidtear í,
Is í creill bhur gcleacht an fhead.

Ná bíodh bhur dtnúth le muir feasta
Ach tugaíg cúl léi go luath,
Tugaíg aghaidh ar chill is ar thír,
Ní fada uaibh anois an uaigh.

AN BHRÓ

Tá capaill is asail ag satailt ort
Is do bhail, a chloch, ní háil liom;
Tá fán ar an dáil ba ghnáth i d'aice
Tráth a mbíteá ag meilt an ghráin dóibh.

Mo chás tú anocht os cionn talaimh,
Cois cillín manaigh go huaigneach,
Mo chás fós tú bheith balbh,
Do scéal, a chloch, dob áil liom.

OLC LIOM

A thuistí a tháinig romham sall
Go dtí Dónall an tSrutháin,
Olc liom mar tháscaim díbhse,
Nár chuireas is nár bhaineas
Is nár thógas fós fál,
Nach ndearna mac chun fónaimh
Dár bpór, dár nós, dár ndúchas.

Táir agam gach giota páir
Mar luach, mar dhuais nuair a fhaighim,
Ar shaothar suarach gan cháil,
Seach bhur ngleic le toinn aird,
Le cré in éadan carraige,
Ag rámhadh in aghaidh bhur ndáin
Ar ucht ard na farraige.

STRIOG

Ba samhail ag mo dhánta tráth
Coiníní luatha as leaba dhearg,
Níor ghá cona chun a bhfiach
Is an dua riamh níor lean iad.

Tá mo choiníní sa gcoinicéar,
Le dua is ea a chuirim amach iad,
Is an firéad féin mo léan!
B'fhéidir gur istigh a d'fhanfadh.

IONRACAS

Dúirt file mór tráth
Go mba oileán is grá mná
Ábhar is fáth mo dháin;
Is fíor a chan mo bhráthair.

Coinneod féin an t-oileán
Seal eile i mo dhán,
Toisc a ionraice atá
Cloch, carraig is trá.

TRÁTHNÓNA SAMHRAIDH

Leath na gealaí mar shliogán
Ar shról na spéire,
Cranna mar fharairí
Ag faire suan na gréine,
Is cocaí féir mar sheanmhná
Ar a marana go céillí.

Long eitill ag triall ar phort,
Ag snámh an aeir go mall
Mar chiaróg uafar,
Mná leathnocht ag filleadh
Ón trá i ngluaisteáin;
Áilleacht, gráinneacht is luargacht
In iomaíocht ar an uaigneas.

SIC TRANSIT . . .

Clann Mhic Thaidhg, na flatha
Faoi raibh na hoileáin thiar
Cúig céad bliain go léir,
Síol Bhriain na n-éacht,
An pór teann tréan,
Cá bhfuil a nead cré?

Na flatha a bhris a réim,
A choinnigh a gcion féin
Den talamh garbh gann
Ceithre céad bliain dá n-éis,
Gheobhair i reilig thuas ar aill
Leaba a bhfualais is a nead.

Cois cuain atá a bhfeart
Láimh le trá na gceann,
Ar an tuama tá armas greanta
Is mana ar leacht in airde,
Mana a bheireann dúshlán Flaitheartach:
Fortuna favit fortibus—
Ach tá meirg ag creimeadh an ráille.

Tá meirg ag comhrá le seanchóiste
I gclós an tí mhóir le seal anall,
Níl lua ar na flatha ná tuairisc
I dteach a sean ná i gCill Cholmáin,
Ó chuaigh an Flaitheartach deiridh síos
Le líon a fhualais san uaigh láimh le trá.

COIMHLINT

Daolbhrat na hoíche á stracadh
Ag capall is marcach gabhalscartha,
Gasúr óg i mbéal an uamhain
Ag tnúth le suan is ag éisteacht.

Anam peacaigh ag fanacht
Ar tháirsigh an alltair go creathánach,
Sagart ag teacht le lón an aistir,
Dia agus an Diabhal ag faire.

AN BÁS

Nuair a thiocfair a bháis ar ball,
Tar go lách ár n-iarraidh,
Ná bíodh an scáth i do dháil
Ach fág sa gcró i do dhiaidh é.

Tar mar athair ag gairm a pháiste
Abhaile ó chóisir go díonmhar,
Óir is páistí sinn uile a bháis!
Is ní háil linn imeacht gan díonbhrat.

DE DHEASCA AN ÚIS . . .

De dheasca an úis:
    Ní le neach teach ná dídean,
    Talamh, trá, ná gabháltas dílis,
    Capall, buaibh, ní leis ná caora,
    Ní leis a anam ná a chroí ceart.

De dheasca an úis:
    Gach modarphlé idir daoine,
    Gach foghail, gach díth, gach fána,
    Tá an ógh ag reic a náire
    I gcoim na hoíche ag fairdeal.

De dheasca an úis:
    Is iomaí créatúr gan díleas
    Ach a bhfuil uime ina éadach,
    Tá mílte ina mogha ag éigean
    Is an síol calctha i mbléin ina tíre.

De dheasca an úis:
    Tá meirg ar chéachtaí,
    Báid ag lobhadh i nduga tréigthe,
    Daoine ag dorchú ar a chéile,
    An cian gabhalscartha ar chéadta.

De dheasca an úis:
    Tá an ghin sa mbroinn
    I ngeall don léan dubh,
    Is tuilleadh a ghinfí
    Gan ghineadh in aonchor.

CUID CAIDÉISE

Cuid caidéise tusa a bhean
Sa teach mór i lár na coille
(Tearc a shórt ar fhód teallaigh)
Is ní fios do neach cén borradh,
Cén cumasc tola is fola
Idir dhá cheann na hEorpa
A chuaigh do chumadh do chlósa.

Inis dom, ós gnó dom é
Fios an ghalair úd a chur
Ar breodh de na slóite,
Céard faoi deara d'aghaidhse
Bheith rite is do shnó mar atá?
An é nach ndófar go deo
Aon Traoi i do chomhair?

An é gur fada uait
Coill Chuain is an té bhí leat?
Cá bhfios fós nach tú an bhean?
Ach tabhair do chúl don allód feasta,
Tá cinn chomhluchta beo is mótair leo!
Is dá dtagadh Naoise féin an treo,
B'fhéidir nach mbeadh mar a thuairisc.

CLOCHÁN NA CARRAIGE

(Do Phádraic Ó Concheanainn)

Ceist do chuireamar ar an gcloch
Ach an chloch níor labhair má chuala,
An scraith ar an díon féin
Níor léir a lua ná a thuairisc
Ar an té a ghabh chuige an áit
Mar theampall, mar thearmann go suarach,
Mar dhuasionad, mar shuanlios,
Gan cuilce faoina cheann ach gruáin.

A thréig a chuallacht féin
Is a d'fhág faoi Dhia na ndúl
Cian a thógáil Dá thrú bocht
Sa gclochán cois cuain go huaigneach.

Marbhán ba rí ar a ghualainn;
Ní raibh meas na gcrann ag ár naomh,
Ní raibh mil na mbeach ná uachtar
Is ba bhaol feoil don toil chun guanais.

Arán seagail measaim ba leor leis
Nó an coirce b'fhéidir chun buanais,
An breac ón gcuan ba nuacht leis
Is fíoruisce an tobair ba duais leis.

An coir a rinne mo dhuine bocht,
An aithne a réab nó béas nár chomhallaigh?
Bhí Éanna teasaí más fíor a luaitear,
Cá bhfios nárbh eisean a ruaig é?

Arbh é Breacán a dhíbir aniar go dubhach é,
Nó MacDuach arbh é a sheol anuas é?
Gan chara, compánach, gan éan gualann
Tá an chloch ina tost is ní scéithfidh a rún linn.

MO MHAIRG AN GHLAC

(Do Éamonn Ó Faoláin)

Cé acu a raibh an ghlac?
Ag an dream a char an briathar,
A mba phaidir leo gach leac
I dteampall adhartha na bé
A thug beatha do gach sprid,
A bhí ag éamh ar cholainn go dian,
Is nár ob an cath ach a sheas
I gcoinne na mbéar gan staon.

Cé acu a bhfuil an ghlac
Ó shéalaigh gaisce na dtréan?
Ag aicme nach aithnid dóibh fearann
Ach a ndúthaigh chúng féin,
Ag dúistí dúra an tuatachais
Chuir slua an ghaisce i réim,
I gcathaoir an bhreithiúnais suite suas,
Caithfear géilleadh dá gcéim.

Cá bhfuil acu an fhairsinge
Ná an fhéile aigne shéimh,
A chleacht clann na dáimhe i gcónaí,
Oidhreacht choiteann na sua go léir?
Is mo mhairg an ghlac sin acu
Á casadh ina méara bréana
Óir níor eascair an ghlac sin
I gcró na gcearc riamh.

MNÁ NA HAISÉIRÍ

Umhlaímis go humhal don bhuíon iníonda
A sheas gan feacadh sa spéirling fhíorga
Chun ceart ár gcine a bhaint de dhanair,
Thiomnaigh a ndúthracht, a ndúchas banda,
Thug dílse a gcroí go dil do Bhanba.

Bhí an bhuíon iníonda i dtreo chun seasaimh
Nuair a las an chathair seo seal den ghaisce,
Nuair a ghabh meisce Chásca a príomhshráid seachtain,
Nuair a chuaigh ár leoin chun gleo le Galla,
Nuair a ghairm ar a gcúl na beo is na mairbh.

Nuair a chloígh feadhna an éithigh ár bhfeara,
Nuair a theasc gach bile de chrann na beatha,
Bhí an bhuíon fós ar an bhfód ag faire,
Ag tiaráil chun bua cé dian an treascairt,
Ag coigilt a nirt do lá na faille.

Nuair a tháinig thar toinn anall na hamhais,
Nuair a chuaigh clann na saoirse leo chun catha
Bhí an bhuíon arís gan scíth sa mbearna
Ar fiannas i bhfochair na bhfianna calma
Ina gcranna fortaigh ag clann na gaile.

Ba mhinic iníon go dian i ndainséar
I mbaol a hanama, i mbaol nach n-abraim,
I nguais a duaise ag imeacht ar aistear,
Is scéalta rúin ina comhad go daingean.
Dá dtiteadh le búir don chúis ba mheasa.

Seasaimis dá gclú, dá gcáil go seasta,
Is do cháil na laoch a bhí ina bhfara
Is fuagraímis gach cnáid go críoch an dearmaid,
Gach giolla, gach briolla cunórach dá maireann
Ó táid na leoin faoin bhfód, mo mhairg!

Umhlaímis arís dóibh síos go talamh
Do gach ríbhean dá bhfuil ar marthain,
Is umhlaímis faoi thrí do shlua na marbh
Is guímis Rí na gCumhacht gan dearmad
Luach a saothair a thabhairt thuas ar neamh dóibh.

FAOISEAMH

Rinneamar fíor na croise
Ar chiumhais na dtonn roimh snámh,
Ach ní idir sinn is an sáile
A chuireamar gníomh an ghnáis úd;
An gníomh is an sáile féin
Chuireamar idir sinn iad go léir
Is deamhain deabhaidh na sráide.

Chuamar ar bharr faille dá éis
Is thógamar in ár nglaca in airde
Miotalréim ár saoil ghnáith,
Tiomáint an éigin ós í ár ndán
Is flaitheas na ngnás folamh,
Gur chuireamar fad mara iad
Le hurchar crochta gualann.

BLIANTA AN CHOGAIDH

Ní sinne na daoine céanna
A dhiúgadh na cáirt,
Is a chuireadh fál cainte
Idir sinn is ár gcrá.

Thuig fear amháin na mná,
Is é a thuig a gcluain tharr barr,
An bhantracht go léir a thuig
I gcrot aon mhná nach raibh dílis,
Is sinn ar thaobh an dídin
Den phéin is den pháis.

D'fhaighimis an seic, an giota páir,
An t-ara malairteach fáin,
Ar an saothar aimrid gan aird,
Is théimis chun an ósta ghnáith.

Níor chuireamar is níor bhaineamar
Is níor thógamar fál go hard,
Ach fál filíochta is argóna,
Idir sinn is an smaoineamh
Go rabhamar silte gan sinsear,
Go rabhamar stoite gan mhuintir,
Go rabhamar gan ghaisce gan ghrá
Gan aisce don fháistin
Ach scríbhinn i gcomhad.

Is réab gach éinne againn
Cuing is aithne ina aigne;
Aicme a bhí gan fréamha in i dtalamh,
Dream narbh fhiú orthu cuing a cheangal,
Drong nár rod leo a n-athardha.

CRAINN OÍCHE SHEACA

Géag-uaigneach gach crann
Scartha leis an uile,
Íbirtchrot gach crann anocht
I bhfianaise na cruinne
Is é a dhínit a loime.

Samhail a bheirim do gach crann
Páischrann an chéasta,
Fíor ar gach crann a chím,
Géagscartha clíréabtha
Tréigthe ag an duine.

MÍ AN MHEITHIMH

Ní tusa domsa mí an tséin
Ach mí an léin is an duifin,
Ní súilíní gréine a thugair
Ach súilíní cuimhne a fhilleann
Amhail bhainfeá an glas
De chomhad an chroí,
Nó an leac de nead na gcuimhní
Ar thréimhse úd an aoibhnis,
Nuair ba tú i mo mheabhairse
Tinte chnámh is laethe meala,
Mí Fhéile Choilm is mí Eoin,
Mí Fhéile Pheadair is mí Phóil,
Mí an Phátrúin is an rince
Nuair a bhí mo dhaoine sona,
Nuair nach mbíodh ag curach uain
Lobhadh ar dhuirling d'easpa cuain,
Nuair nach mbíodh an leic mhór
Aon Domhnach gan a tionól.
Cuir ar ais, a mhí, an leac,
Is cuir ar an gcomhad an glas.

Tá cime romham
Tá cime i mo dhiaidh,
Is mé féin ina lár
I mo chime mar chách,
Ó d'fhágamar slán
Ag talamh, ag trá,
Gur thit orainn
Crann an éigin.

Cár imigh an aoibh
An gáire is an gnaoi,
An t-aiteas úrchruthach naíonda,
Gan súil le glóir,
Le héacht inár dtreo
Ná breith ar a nóin ag éinne.

Níl a ghiodán ag neach
Le romhar ó cheart,
Níl éan ag ceol
Ar chraobh dó,
Ná sruthán ag crónán
Go caoin dó.

Tá cime romham
Tá cime i mo dhiaidh,
Is mé féin ina lár
I mo chime mar chách,
Is ó d'fhágamar slán
Ag talamh, ag trá
Bíodh ár n-aird
Ar an Life chianda.

Bíodh ár n-aire
Ar an abhainn
Ar an óruisce lán
A chuireann slán
Le grian deiridh nóna.

Bímis umhal ina láthair
Is i láthair an tsrutha
Is samhail den bheatha
Ach gur buaine,
Mar is samhail an abhainn
De shráid an tslua
Ach gur uaisle.
An lá is ionann ag mná
Faiche is sráid,
Páirc, trá, is grianán,
Ná bíodh cime gnáis
Gann faoi dhearbhdhíona;

Tá fairsinge díobh ann
Mar luaim thíos i mo dhiaidh iad,
Is deirid lucht cáis
Nach bhfuilid gan bhrí leo —

An macha cúil
Tráthnóna Sathairn,
An cluiche peile,
An imirt chártaí
Is ósta na bhfear
Ina múchtar cásamh.

Crot a athar thalmhaí
Do shúil ghrinn is léir,
Ag teacht ar gach fear
Atá i meán a laethe,
A chneadaíonn a shlí chun suíocháin
I mbus tar éis a dhinnéir.

Ní luaifear ar ball leo
Teach ná áras sinsir,
Is cré a muintire
Ní dháilfear síos leo,
Ach sna céadta comhad
Beidh lorg pinn leo.

Is a liacht fear acu
A chuaigh ag roinnt na gaoise
Ar fud páir is meamraim,
Ag lua an fhasaigh,
An ailt, an achta.

Is a liacht fear fós
A thug comhad leis abhaile,
Is cúram an chomhaid
In áit chéile chun leapa

Is mná go leor
A thriall ina n-aice
Ar thóir an tsó
An áilleagáin intrigh;
Galar a n-óghachta
A chuaigh in ainseal orthu
A thochrais go dóite
Abhras cantail.

Mná eile fós
Ba indúilmheara ag feara,
Ba féile faoi chomaoin
Ba ghainne faoi chairéis,
A roinn a gcuid go fairsing
I ngéaga an fhir
Ba luaithe chucu
Ar chuairt amhaille,
Ar scáth an ghrá
Nár ghrá in aon chor
Ach aithris mhagaidh air,
Gan ualach dá éis
Ach ualach masmais.

Na hainmhithe is na héin
Nuair a fhaighid a gcuid dá chéile,
Ní gach ceann is luaithe chucu
A ghlacaid in aon chor.

I gcúiteamh an tsíl
Nach ndeachaigh ina gcré,
I gcúiteamh na gine
Nár fhás faoina mbroinn,
Nár iompair trí ráithe
Faoina gcom,
Séard is lú mar dhuais acu
Seal le teanga iasachta
Seal leis an ealaín,
Seal ag taisteal
Críocha aineola,
Ag cur cártaí abhaile
As Ostend is Paris,
Gan eachtra dála
Ar feadh a gcuarta,
Ná ríog ina dtreo
Ach ríog na fuaire.

Tá cime romham
Tá cime i mo dhiaidh
Is mé féin ina lár
I mo chime mar chách,
Is a Dhia mhóir
Fóir ar na céadta againn,
Ó d'fhágamar slán
Ag talamh ag trá,
Tóg de láimh sinn
Idir fheara is mhná
Sa chathair fhallsa
Óir is sinn atá ciontach
I bhásta na beatha,
Is é cnámh ár seisce
An cnámh gealaí
Atá ar crochadh thuas
I dtrá ár bhfuaire
Mar bhagairt.

DÁN AN TÍ

An Teach:
Teach caoch ar shúil bóthair mé
Is éistear le mo theasgasc.

Labhróidh mo ghiollaí romham gan eagla
Labhróidh an teallach is an seomra leapa
Labhróidh an doras is na fuinneoga ina theannta
Labhróidh an drisiúr is labhróidh an bord
Labhróidh an lota is binn an tsimléir.

An Teallach:
    Ba mise croí an tí
    Atá fuar is folamh
    Éistear liom feasta:
    Ar m'uchtsa tharla
    Leis na cianta fada
    Feistiú na bhfód
    Adhnadh is lasadh
    Spóirseach thine
    Laom is deatach,
    Thart orm coitianta
    Cuideachta is caidreamh,
    Ó ghlúin go glúin
    Scéalaíocht is nathaíocht,
    Spíonadh is cardáil
    Sníomh is cniotáil
    An tae beag
    Tráthnóna an lae bheannaithe,
    An biadán, an chúlchaint,
    An sciolladh, an feannadh,
    An paidrín páirteach
    Thar dhoras á leathadh,
    Go domhain san oíche
    An t-airneán á leanacht,
    Is mar dhíon ar shuan
    An tae ar tarraingt.

An Seomra:

    Níl tocht níl adhairt
    Níl pluid níl cuilt
    Níl bráillín níl cnaiste
    Le labhairt ar son na leapa,
    Labhród féin ar son na leapa:

    Chonaic mé féin
    Is chonaic na ballaí
    An cumann á thabhairt
    Chun tola chun caidrimh,
    Faoi choim na teimhe
    Sa ríocht rúin leapa
    Is fríd an éaga i ríog na beatha.

    Chonaic an fás,
    Chonaic an deireadh,
    Freang an bháis,
    Fíor na breithe,
    Chonaic an sagart
    Ag colbha na leapa,
    Is lón an aistir
    Leis don anam.

An Doras:

    Níor dúnadh riamh mé
    De bharr doichill
    Ach ar leathadh don chomharsa
    Is don té a d'fhillfeadh,
    Is 'Dia sa teach'
    Thar mo thairsigh
    Mar choimirce,
    Tráth a dtagadh cairde
    I ndáil choimhirse.

Na Fuinneoga:
Ba sinne súile an tí seo
Atá anois gan ghile,
Solas coinnle ionainn bhíodh lasta,
Is oíche chinn bhliana
Dhá cheann déag
De choinnle geala.

An Bord:
Cá bhfuilid uaim na lámha?
Lámha boga bána
Glaca úra cumhra,
Lamha a d'ardaíodh
An bia chun béil in airde,
Lámha ba fial i mo thimpeall,
Iad uile uaim ar díbirt,
Mise ag míola críona.

An Lota:
Folamh mise le cian achair,
Folamh ó mhóin ó iasc ó fhataí,
Folamh ó na fóid a thagadh
Le luas mire aníos orm,
Folamh ó na spiléid
Is ó na líonta,
Gan troigh anois ar an dréimire
Ná duine beo aníos orm,
Gan osna ón sean
Ná éamh ón leanbh,
Gan gáire ón ngirseach
Ná liú ón ngasúr,
Gan siolla ón teallach
Ó oíche go maidin.

An Drisiúr:
    Domhnach gréine
    Culaith ghréithre orm,
    Glaca do mo ghlanadh;
    An deannach feasta
    In uachtar orm,
    Damháin alla
    Ag neadú sna cupáin.

Binn an tSimléir:
    Ba mhinic fear
    Is fear ar fónamh
    Ag tabhairt dúshláin
    An bhaile in éineacht,
    Maithe a fhualais aige
    Á ngairm ar a ghualainn,
    Na beo á ngairm
    Is fós na mairbh
    Is cuaille comhraic
    Á dhéanamh aige díomsa.

An Teach:
    Labhradar uile
    Gach giolla i ndiaidh a chéile
    Is fógraím an clabhsúr ar an méid sin,
    Ná gabhadh fuacht na heagla an té sin
    A théann tharam go déanach,
    Ná déanadh feadaíl ná babtha reatha
    Óir ní gá dó díon ar eagla romhamsa
    Ach roimh an dán is dual dó
    Is don treibh ar díobh é,
    Ó chuaigh cleacht eile
    Lastuas dá gcleacht dílis.

MAC AN AITIS

Mac an aitis ar thóir a Almhain,
Ar thóir a Theamhair, a Mhagh Meall,
A phort oireachais, a dhaingean,
Ar thóir a Chruachain, is trua é.

An mac a char an lasair
An solas is an goradh,
A char an tine chreasa
Ach nár bhac na fotha feasa.

Cá rachaidh mac an aitis?
Ma thriallann ar na feara
A chaith seal fada ar thóir na bhfasach,
An gcaithfidh leis go ramhar?
Luch idir cata
Sin a fhearacht eatarthu.

Trialladh an mac seo
Ar bhráithre a chleachta,
Ina measc a riarfar
Bail is ceart air.

Ar na bráithre as béal a chéile:
'Iomad den lasair
A chonaic an mac seo
A dhá dhóthain den tine chreasa
A leathdhóthain ní fhaca
De na fotha feasa;
Cumasc cothrom is fearr linn.'

Cá rachaidh mac an aitis
Is é ar laethe ganna
Ar thóir a Theamhair, a Almhain,
Sa chathair fhallsa fholamh?

An té a char an laom, an lasair,
Seachantar é feasta,
Molaimis an aicme
Nár char ach an deatach
Ar eagla ár ndóite.

Molaimis feasta
Giollaí gan chaithir,
Fóda ag gach mac ina ghlaic,
Fóda nach n-adhanfaidh
Tinte ar arda,
Ar eagla ár ndóite.

Trialladh mac an aitis
Ar an gcléir le fóint dóibh!
'Cé las do thine a pheacaigh?
Beal, nó Crom nó Pádraig?
An tine Shamhna do thinese
Sin nó tine Chásca?
Ná bíodh aithinne ar bith
Sa tine agat
Nár tháinig as tine Shláinghe,
Ar eagla ár ndóite.'

Feic an lasair
Ar mac an aitis
Leis an gceannaí
Leis an státaire,
'Tá rud ar a chailleadh uaim'
Ar an ceannaí,
'Tá coinne agam'
Ar an státaire.

Céard is fiú an meangadh?
Céard is fiú an gáire?
Céard is fiú an croitheadh láimhe?
Céard is fiú do mhac an aitis
An chlann shlítheach fháilí?

An té nár reic an t-aiteas
Ar na fotha feasa go lánmhar,
Ní háil leis an saol feasta é
Ní háil leis an gcathair fhallsa é.

Déan do mhachnamh is meabhraigh
Is athraigh béas a shaoil,
Déan do mhachnamh is meabhraigh
A chathair fhallsa an éithigh,
A chathair eisinill thréith.

Déan do mhachnamh a chathair fhallsa
Is bíodh a fhios agat dá éis,
Nach é an té a char an lasair
A thógfaidh an t-ár ina dhóid
Le scaoileadh anuas ort lá an léin.

AGALLAMH

A dúirt an chiall:
Bí ann i ngan fhios do na cíocha crochta,
D'airm na cluana,
Do dhiamhair na suirí,
Don chorp seang,
Don fholt leabhair.
A dúirt an croí:
Cá bhfuil mo dheachú
Go héag na hola?

A dúirt an chiall:
Suigh ar an gclaí
Is dearc ar an ainmhí is duine,
Dearc ar an bhfiach
Is ar chath na colla,
Is meabhraigh an gníomh
Nach bhfuil ina leath ach tuirse.
A dúirt an croí:
Is corrach do shuí
Go héag na hola.

COMHAIRLE DON FHILE ÓG

Níl a fhios agam a mhic
Céard déarfainn leatsa,
Ní peileadóir tusa
Ag teacht faoi chaithréim abhaile,
Ní bheidh caipíní áiféiseacha
Á gcaitheamh in airde i d'aice
Cé déirc an méid sin
Gurbh fhearr leat ina easnamh.

I dtír inar chuir filí tráth
Tine Chásca ar lasadh,
Ní lastar tinte cnámh
Ar arda do do shamhail.

Glac uaimse is mo bheannacht
Mo chiall cheannaigh,
Ní fearr domsa í agam
Mar ó chaitheas an choinneal
Caithfead an t-orlach ina teannta.

Creimeadh tusa an abhlann
Más leat a bheith ar barra,
Is an méid nach bhfónann duit salaigh
Is abair nuair is caothúil
Gur díth na céille an galar
A bhí ar na móir atá marbh,
Anois nuair nach mairid
Ní heagal duit a n-agairt,
Ná leon ar bith
Tríd an gcré dhubh
Aníos chugat ag bagairt.

Caitheadh tusa do dhúthracht
Ar thóir an ríphoist,
Is tabhair tairise don mhodh
Don ghnás don ardú gradaim.

Ach fág a mhic fós
Cion ag an dán agraim,
Mar measaim gur mhór an feall
Nach mbeadh lá éigin feasta
Cuid iontais i do dhiaidh
Ag ollaimh is lucht sanais.

AN DÁN Á THARCAISNIÚ

Nuair a thráchtaid ar an dán
An tréad nach áil leo é,
Is nuair a cháinid go hard
Lucht a dhéanta gan fáth
Ach an t-éad a bheith ina gcré,
Is nach dtuigid meon na dtréan,
An té gur mór aige an dán
Lucht a dhéanta is a gcáil,
Ní séanta gur náir leis an scéal,
Ná gur ionann a chás
Is fear a mbeadh a ghrá
Ina hábhar gráisce
I mbéal na bréine féin.

ÁR LAOCHRA

Mochean díbh go daingean,
Bhur nglóir agaibh
Bhur ngaisce,
Bhur gcoróin ina dteannta,
Bhur n-óige agaibh go seasta,
Sibh a d'fhógair fán ar aois
Nuair a d'fháisc chun báis go fearga.

Bhur n-oineach agaibh slán
Bhur meisce ghaisce,
Bhur mbua agaibh,
Bhur nduais agaibh,
Gan smál ar bhur n-éide chailce,
Is dingtear an focal i mbráid
An té déarfadh dá bhfágtaí ar tuar
Go ndéanfadh grán dubh le haimsir.

Ba chúrsa oinigh libh go léir
An ghairm dhian a fhreagairt,
An fiannas fada crua
An íobairt ghéar dheacair,
An bás sa chlós fuar
Nó istigh faoi ghlas sa charcair.

Tá tuillte agaibh go maith
Is é thar am agaibh,
Bheith saor ar an dream léir
A d'fhan go claon ag faire,
Sna cuasa féin i bhfolach,
Nuair a bhí an cath go tréan
Is na gunnaí ag tafaint,
Is a tháinig dá éis
Chun bua is brabaigh.

Tá tuillte agaibh níos mó
Is ná raibh maith acu,
Bheith saor ar a n-ál fós
A tháinig ar an bhfód le gairid.

Shoraidh dhíobh—ní fios do neach
Cé dó a dtugaid tairise,
Ní don stát féin do mo dhóigh
Is ní mó a thugaid dá n-athardha di.

Don reacht b'fhéidir, don mhodh?
Don mheas coiteann mar a dhleachtar?
Is an liacht eile
Atá ar na lucha
A chreimeann an abhlann
A thit as bhur lámha;
Loitiméireacht is obair dá laethe.

Ach libh féin bhur nglóir
Bhur gceart bhur gcóir
Libh go deo ár mbeannacht.

AISTEOIR TUATACH

Ná ceap gur ní liomsa
Tú éirí in airde
Mar stail ó thalamh
Ar theacht i m'airchis duit;
Má cheapairse a leithéid
Is beag is eol duit mise,
Óir ní maidrín lathaí mé
Ag fear ar bith.
Feicim an meath ag teacht
Is an bás ar a shála go tiubh;
Meabhraigh féin an t-éag,
Meabhraigh an chónra chláir,
Meabhraigh an chruimh
A mhaireann sa chré
Ag faire ar a cuid,
Is tar ar do chéill
Is ar acmhainn grinn.

MOTHÚ FEIRGE

Feic a mhic mar a chreimid na lucha
An abhlann a thit as lámha na dtréan
Is feic fós gach coileán go dranntach
I bhfeighil a chnáimh ina chró bréan
Is coinnigh a mhic do sheile agat féin.

Ní raibh sé mór an fear
Níor dheas a bhí ach gránna,
Is cóip an bhaile mhóir
Ag fonóid faoi gan náire,
Ach ghluais gan mhairg fós
Is ar chuaillí chuaigh in airde,
Ba dhraíodóir an fear beag
A raibh an solas ina ghlaic,
É ag tabhairt na gile leis
Ó lampa go lampa sráide.

BLÚIRE

Ní hiad na freanga
Is cás lena lán againn,
Tráth a dtagann chun boilg
Chun léithe is maoile leis,
Ach a bheith inár dtuismeadh grinn
Ag an óige dhanartha.

COMHAIRLE GAN IARRAIDH

Comhairle a fuaireas tráth
Ó fhear an aon dáin
Gabháil le haistriúchán,
Is go mb'fhearrde mo dhán
An dáil ó thaobh ceirde.

I gcead d'fhear an aon dáin
Ní díobháil ceirde amháin
A choinnigh an duais as mo láimh,
Ach nár abaigh an chré i mo chliabh
Is gur pian linbh a fríth liom.

DOM FÉIN

Tar ar do chéill feasta
Tá an leathchéad go tréan
Ar na sála agat,
Níl ribe ar do bhlaosc
Ná meigeall ar do smig
Is bean aosta féin
Ní ghlacfadh dán uait.

DÉITHE BRÉIGE

Maise a sheanpháiste
A chuir déithe in airde,
Ná tóg ar na déithe
Má léimeadar anuas
Faoi do chosa,
Is má chaith gach dia
A coróin leat aniar
Is an fhonóid ina diaidh
Sna sála ort.

TRUAILLIÚ

Tóg de rogha do chéile
Chun féasta nó chun béile
Ach seachain giolla aonuaire
Is ná caith go fial leis,
Gan modh don bhia agaibh
Ná cás in bhur náire,
Is ná cuir do lámh sa troch
Ag goid do choda faoi choim;
Ach b'áil liom a rá
Tuige a bhfuilim leat,
Mar do dhreach a choinneáil stuama
Le linn mo chomhrá a chlos
Measaim gur docht a rachadh ort.

CÚRAM

Garda i mbun a chúraim
Féachann i mo dhiaidh
Is an t-amhras ina shúil;
Leas an phobail gnó an gharda
Mo ghnósa leas an dáin
Is focalbhrat a fháil
Do gharlaigh m'intinne,
Gnó ar leor a dhua
Seach ceannairc is gleo
A shéideadh ina theannta suas,
Ach ní thógaim ar an ngarda
An t-amhras ina shúil,
Mar cá bhfios nach treise
Duine ná daoine fós,
Is é ar a mharana
Go ciúin sa ród.

SEODA

Saol an chipín ag dul le sruth
Saol an néill éagruthaigh,
Saol an bhíoga ar ghnúis ainnire,
Saol an mhaide gréine um nóin,
Saol an chúir ar dhroim easa:
Seoda ab áil liom i mo stór,
Is cé nach gcuirfid lón faoi mo choim,
Ní chruinneofar a malairt liom.

ATHCHUAIRT

Fadó chuir mo chló de
Rian mo ghannchuid suain
Ó thugas d'éaradh liom abhaile,
Is níor leor athchuairt
Ar an árasán gléasta,
Ná an comhrá nár chuaigh
Thar uachtar aon uair,
Chun dhá cheann an duail a réabais
A chur arais in alt a chéile.

REILIG

Cuireadh an ghealach
Aisléine bhán ar gach leacht,
Gach crois gach gloine fhuar
A chumhdaíonn blátha ar uaigh
I ngarraí gabhainn na marbh.

Déanadh sibhse faire claí
Is seasaíg garda a fhallaí arda,
Is ná tagadh siosma baoise
Ó shlí na bréige,
An fhaid atá cnámha bána
Ag comhrá le cnámh gealaí.

AN SMIOTA

An bhlaosc chrón chríon sa scrín
San eaglais cois na Bóinne
Níor bhain an smiota de do bhéal,
Ach b'áil liom a fhiafraí
Céard a thug tú chun na háite
Ó mheasas nárbh údar blaosc chun gáire,
Is cheapas gur rugadh tú in antráth
Is dá mairteá le linn Herod Rí,
Go dtabharfá blaosc an Naoimh isteach
Is aoibh an gháire ort.

NA COILLTEÁIN

'Cuirimis le chéile' a deir na coillteáin
Ionas nach léifear faisnéis
Ar ghinte an fhir seo
Ar pháipéar ná in irisleabhar:
Is chuireadar le chéile
Ag ól na dí dóibh
I gcúinní an fhill,
Óir níl éad níos géire
Ná éad an choillteáin
Le fear na gcloch.

CEANGAL

Dá dtuiginn bhur mbeart i gceart
Nuair a cheangail sibh beirt mo bhráid,
Le bóna is carabhat lá mo dháin,
Tusa a mháthair is bean an lóistín,
Sa tsráid bheag chúng i nGaillimh,
Deirim libh go mbéarfainn mo ghéaga slán
Is mo cheann as an dán amach,
Is go rachainn faoin gcoill go mear.

TAISE

Tuige ar dhuinigh tú a ainnir
Do mháthair arís i m'amharc
Is go bhféadfainn a bheith lámh ar láimh léi
Roimh do theacht ar an talamh
Dá ligeadh an cás dom dul ina haice,
Murach eagla a héartha liom abhaile,
Is murar abaigh an chré seo fós
Ní mise a ghin ná cheap í.

CEANNAITHE

Ceist a chuirtí tráth
Más fíor na ráite
"Cén áit i nGaillimh
A bhfuil Éire ann?"
Gach prionsa ceannaí
Dár thabhaigh cáil di,
Tá gan oidhre
Ar a áit,
Is b'aithnid dúinne
Toicithe glacacha,
Nach gcloisfear
A dtrácht sa Spáinn.

DAORDHÁIL

Ó tharla nach maireann againn le tamall
An aicme gur dhual a reacht a chomhalladh,
Ach daor ag faire daoir eile
Is gach daor mar dhea ina mháistir,
An t-aer do thitim ar an talamh
Ó ealaín na ndaor ba dhóigh leat,
An amhlaidh is eagal linn dul in airchis
Na hainnise a chleacht sa cheap ór tháinig.

SLÁINTE NA hATHBHLIANA

Cuirtear anocht gach gloine lán
Idir sinn is ár n-uail chnámh,
Fágtar cealtair i dteannta gnás,
Is i dteannta pár na geimhil:
Ná diúgadh na cáirt
I bpáirt ach cairde cléibhe,
Óir tá namhaid tréan ag cách le bréagadh.

Scaoiltear glais an bhéil anocht,
Leatar comhad an chroí féin,
Is cuirtear gach gáire suilt,
Gach scéal os cionn scéil
Idir sinn is an t-éag,
Go gcuirtear fál leis an namhaid tréan.

AN MILLEADH

Damhna tuirse
An damhna a fríth linn,
Is cé chuirfidh fál
Le hál an mhillte?

An fhoireann nach incháinte
Fá mhéin ag clann an chionta
Lá an scriosta
Is cás linn.

DO AINT DOM

Níor chóir duit triall
Ar an áit úd thiar,
Coilleadh d'óige toradh
Do chuairte ó chéin,
Is dá gcuirfeá an scéal i mo chead
Sular sheolais anall,
Mise a roinnfeadh leat
Mo chiall cheannaigh féin,
Ós éan chun sochaird
Ar nead atá coillte
Mé anois le seal.

AN DUAIS

Prealáid ina dhún féin
Manach ina chillín fuarghlas,
Máthairab ina suanlios,
Mise i lios an léinn aréir
Mar a dtagann dán le dua liom;
Íocaimid go léir deachú an uaignis.
Gheobhaidh an triúr an duais fós
Is luach a saothair sa tír uachtraigh,
Ach faighim féin an duais gach lá,
Is luach mo shaothair go dóite:
Gáire an dúiste i mo dhiaidh aniar,
Uaill an choillteáin i mo chluasa,
Is an t-uaigneas suas liom cuachta.

COMHRAC

Do scian aithise as a truaill
A scaoilis féin liom uair,
Chun mo ghriogtha, chun mo ghonta,
Nó chun do shlán a chur fúm?

An té a léifeadh ar do shórt
Ba amal Solamh ina aice.

Ná scaoil a bhean níos mó
Scian ná ga i mo threo,
Mar nach comhrac cóir fós
Do chomhrac liom aon uair.

Tráth ar chaithis an aithis liom
Bhí cuing orm is ceangal
Is cead na gcos agat.

Chuais féin faoi chuing ó shin
Is a chonách sin ort a chailín,
Fág do scian uait i gcuas
Is go mairir go buan an ceangal.

MO CHRÁ

Is maith an fáth gur mór mo chrá
Gach maidin is ardtráthnóna,
Óir níor thug an saol leis an ghaois
Ná an aois an chiall ina teannta,
Is ceapaim fós gur chóir gur dhán
Gach lá go deireadh an aistir,
Nó liathróid órga ag ógán
Á bualadh go bruach an alltair.

BUÍOCHAS

Mithid dom mo bhuíochas
A ghabháil libh a dhúile,
An comhar a dhíol libh
A chreaga loma,
A fharraigí cháite,
A chuireadh deocha
Go lách faoi mo ghruanna,
Nuair nach mbíodh cara cáis agam
A d'fhulaingeodh m'ualach,
Ná a d'osclódh doras an fheasa
Sa dún diamhair do mo fhuascailt,
Is neart na tola dorcha
Ag borradh chugamsa.

COMHAIRLE

Cad chuige duit a theacht chun ualaigh?
A dhul faoi chuing bhriathra an ghnáthaimh?
Cad chuige duit do ghéaga a chur sa mbuaraigh
Is mise romhat mar rabhadh sa ród?

Measaim féin más léir mo léamh ort
Gur dán i do mheabhair an saol iomlán,
Is beir leat na géaga umhla slán
Nó déanfar prós go mear den dán.

FUAIRE

Luí ar mo chranna foirtil!
Céard eile a dhéanfainn féin
Ó tá mála an tsnáith ghil
Folamh i do pháirt go héag,
Ach tá a fhios ag mo chroí,
Cé goirt le roinnt an scéal,
Go bhfuil na cranna céanna
Chomh fuar leis an spéir.

AN GHOIN

Is léir dom anois
Cé goirt liom an fios,
Go bhfuil cion is breis
Den ghangaid i do chorp.

Más as bruithne oilc
A chaithis an aithis liom,
Ní lúide an ghoin
Fáth d'oilc bheith ceilte.

Coinnigh do scian uaim
I dtruaill agat feasta
Go dtaga ar m'áit
Do rogha sáis feannta.

DÚSHLÁN

Ní tusa a chait Pangur Bán
Ná mise an té a bhí ina dháil,
Ar dhual dó na clanna snáth
A chur gan cháim i ngréasán,
Ach tharla gur tú atá ar an láthair
Beir scéal chuig aon treasachán
Ar gnás leis ár dteanga a shéanadh
Go bhfuil neart inti fós is téagar.

ÁR NÓIGE

(Do Liam Ó Ceallaigh)

Má deirid leat do chairde
Gur siolla den ghaoth trí fhál,
An siolla a chloisir de ghnáth,
Ar bhóthar Bhaile an Chláir
Nó láimh le Rathún na gCnámh,
Ná géill feasta dá ráite:
Is í ár n-óige í go dearfa
Ag éamh ar fud na háite.

Minic a d'fhill sí orm féin
Bhuail doras mo chuimhne
Is d'fhiafraigh go dian díom
Ar aithníos cé bhí ann,
Ach ghabh cás is cian mé,
Is chuireas uaim siar í
Go bóthar Bhaile an Chláir
Is go Rathún na gCnámh.

ÉIRE INA bhFUIL ROMHAINN

An té a nocht a chlaíomh go hard
I do pháirt um Cháisc na lasrach,
Má shíl gur shaor tú ón iomad náire
Nach cuma, óir ní raibh ann ach fear saonta
Is file laochta nár cruinníodh leis stór,
Is nár fhág ina dhiaidh ach glóir;
Cuirfear iallach ort a ghlóir a dhíol,
Faoi mar ab éigean duit roimh a theacht
A bheith i do thráill ag gach bodach anall,
Is má thugtar meas méirdrí arís ort
Bí i do mhéirdrigh mhóir dáiríre,
Is díol a ghlóir is tabhair a sháith
Do gach bodach aniar chun éilimh,
Reic fós a mhian is beir i do threo
Céile nua is a stór chun leapan,
Mar ní tú feasta céile Choinn ná Eoghain,
Céile an Phiarsaigh ná rún na laoch,
Ach más éigean an cumann a chur i gcrích
Agraim thú a shearc na bhFiann,
Gan ceangal leo gan raidhse dollar.

MAR CHAITHEAMAR AN CHOINNEAL

Cheapamar tráth go mbeadh an lá linn
An bua ar fáil, an t-athaoibhneas ag teacht,
Is chaitheamar an choinneal de ráig
Ag fónamh dár gcleacht;
Ní náir linn os comhair cáich
Ár gcloichín ar charn na sean,
Cé gur eagal linn le seal
Go bhfuilimid ag cur gainimh i ngad,
Murar i gCionn tSáile an léin
A cuireadh ár gcleacht ó rath,
Arbh iad na cinnirí críonna
Nó cléirigh an tréis a d'fheall?
Ach mar chuaigh an choinneal go dtí seo,
Téadh an t-orlach ina bhfuil romhainn amach.

TEAGMHÁIL GHOIRT

Dá mb'eol dom a fhir bhig
Gurbh iad clis an chait le luch
Na clis a d'imreodh tusa orm,
B'fhearr liom codladh amuigh
Ná triall riamh ort.

CLOCH CHOIRNÉIL

Is é mo ghéarghuí
Roimh éag dom féin
Go dtiocfaidh fear
De mo chine fáin,
Fear giallteann tréan,
Cloch choirnéil i mballa feidín:
Dá ndeonaíodh Dia a theacht
Ghéillfinn go réidh don imeacht.

Gach feidín má mheasann
Gur cloch choirnéil é féin
Is dán don bhalla titim,
Is ní mhairfidh dá éis
Creat fraigh ná díon
Lindéar ná fardoras.

RÉIM NA bhFAOILEÁN

Na seabhaic thréana
Ní léir go bhfillfidh,
Is follas nach é
A lá atá ann:
An ladhrán trá
Ná an chorr éisc
An fada eile a mhairfidh
Ar chladaí fiara?
Pór na heala
Is an t-éan fionn,
Imeoidh fós ina ndiaidh,
Ach an faoileán amplach
Gona gharbhghlór gránna
Fanfaidh i bhfeighil a choda
In aice an chonúis bhréin:
A mhalairt níor chleacht an t-éan.

FAOILEÁN DROCHMHÚINTE

Is a liacht fear is bean
In Áth Cliath cois Life,
Tuige duit a chladhaire
Féirín a scaoileadh ar fhile?

Coinnigh do phráib agat féin,
A éin an chraois bhradaigh,
Is le do mharthain arís
An file seo ná salaigh.

Leor mar léan liom
Go bhfeicim go seasta,
Gur líonmhaire d'ál
Ná pór ard na heala.

COINÍNEACHAS I

Ait mar bhail ar ár mná
Dul i dtuíon coinín thall,
Níor dhual dár dtír féin
Bheith gann faoi choinicéir.

I dtuíon fir dá rachadh
Gach bean díobh anocht
An tráth seo níorbh ionadh
Is níorbh aduain a crot.

I dtuíon cait nó nathrach
Dá rachadh níor lá locht,
Ach dul i dtuíon coinín,
Ainmhí nach ndearna olc!

COINÍNEACHAS II

Mura mbíonn roimh aon díobh
Ar a slí sall gaiste,
Ná ar bhéal an choinicéir
Súil ribe i bhfolach,
Ní fada uainn an uain
A mbeidh gach leaba dhearg
Óna coinín baineann folamh,
Is nuair nach cumas dár ngadhair
A mbonn thar uisce a leanacht
Cuirfear an chuain ar seachrán
Is ní cabhair don mháistir
A bhata a thomhais chun amais
Mura dtomhaisfeadh leis an ngaoth é
Nó b'fhéidir leis an ngealach.

BAINNE CÍCHE

Ag dul i léig atá an nós
Ach is maith iad mná fós
Chun bainne cíche a thál
Ar naí nó ar sheanpháiste.

Is más léir dóibh ina gcroí
Nach ndiúlfadh orthu ach naí,
Gnó ba dhéirc le seanpháiste
Ní dhéanaid faoi ach gáire.

CLOCH IS CÉIR

Seal is leatsa tréith na cloiche
Is tréith na céireach seal eile;
An ionadh leat má d'imigh
Na fir ba ghnáth i do choinne?

Mo chomhairle mura mall uaim é,
An chloch a chur uait is an chéir
Is teacht ar mhalairt béas;
Seal i do bhean níor mhiste.

DO EASNAMH

Drúcht féin den chaonchaint
A d'éalaíodh idir uille is glúin
Dá dtagadh chugat
Ón gcistin tráth a mbídís
Na mná ag cíblis;
Nó focal ón gclós
De ghlór mo dhaoine
Is tú buil do mhuime
Ar leith ón muintir;
Nach mór mar a dhéanfaidís
Do shamhradh a shíneadh?
Is bídís mar chleití
In adhairt do chuimhne,
Nach ngealfaidís an oíche duit?
Ionas nár chás ort feasta
An dúluachair taobh leat.

GADSCAOILEADH

Más beo do bheo dá n-éis
Na gaid go léir a scaoilis,
Is nach corpán ar do chosa thú
Iontach liom mar éacht é.

Gad do dhúchais dual ar dhual
Anuas má ghearrais díot é,
Ait liom i ndiaidh na sceanairte
Más tú atá ann ach iarlais.

Dá gcuirteá an scéal i mo chead
Déarfainn leat a theacht ceart,
Is féachaint go bhfáiscfeá leathghad
In aghaidh gach gaid a scaoilis.

Leathghad a chaitheas i do threo uair
Mar dhúil go bhfáiscfeá aniar é,
Leor eol dom ó shin i leith
I do láimh nár rugais riamh air.

Minic a tháinig de mo dhíomá
Tuairimí agam ort is smaointe,
Nár mhaise dom a dtagairt leat
Dá dtagainn féin ceart i do thaobhsa.

Gaid a scaoileadh ní ionann
Is ualach a ligean síos díot,
Ach i gcuimhne mo leathghaid
Is faoiseamh a ghuím duit.

GNÍOMH GOIMHE

Toirtín goirt a thriall chugam
Mo litir orm a chas tú:
Gníomh goimhe, is buille
Ó do láimhse thug amas.

Goirt óna fhilleadh orm
Gan mé á aisghairm,
An snáth trínar mheasas
Gad caidrimh a athshníomh.

Tréith mé fós ón tuairt
A bhuail mé ar maidin,
A chuaigh go dtí an dóbair
Do m'arann é a ghlasadh.

Cén chúis agat orm
Fá rachfá chun ainchinn?
Cion ar bith a luafá liom
Ceann corrach faoi deara é?

Sin agus gach ala
D'fhuíoll an ghnáthaimh,
Bheith in áirithe don bhé bhán
Ag a bhfuil m'anam.

Ar riar na gcúram bheadh breith
Ag mo leithéid féin mheasas,
Ach gnó an dáin ní fhulaingeann
Drogall uaim ná neamart.

File mé is ní fealsamh,
Ach ó scarais le do stuaim
Is fearr liom san uaimh dhubh
Ná dul leat faoin bhfearthainn.

Dá bhfágtaí Lá an Luain
An bhreith ar do láimh
Peacach ní bhfaigheadh logha
Ná maitheamh uait go brách.

COMHCHRÍOCH

Faoi do mhuintir an diallait,
Is gunna leo chun fiaigh,
Ina lámha an ghlac ó chian,
An sléachtadh rompu, an riar;
An tsrathair ar mo mhuintir féin.

Ar an tseanáit ós áil leat trácht
Cá miste dul i do dháil;
An lá a bhfuil srathair is diallait
Faoi iamh sa mhúsaem
Cá mór nach ionann ár gcás?

LEAG UAIT NA hAIRM

Coinnigh agat féin do shilleadh,
An cuireadh coinnigh as do shúil,
D' fholt, do chrot, do choiscéim
A chuirfeadh séacla i dtiúin.

Ós éigean fallaí a bhiorú
Is comhlaí a dhúnadh go dlúth,
Ní doras ar aon ní a dhéanfaidh
An saighead is géire i do thruaill.

Ní dhéanfaidh ach buinne breise
Chur ar chaiseal daingean na gcás,
Is agraim tusa a chailín
Na hairm a leagan uait.

SAINT CHUN DÁIN

Ábhar dáin dá mba iascán
Ar nós éan cladaigh rachainn
Idir dhá charraig i gcúbaill,
Go mbrisfinn ar leic ar leith
An sliogán le dúthracht;
Nó ar eagla na tóra
Dul de sciota do mo bhroinneán
A dhéanfainn go fonnmhar
Go mblaisfinn mo sháith den bhiaiste:
Mairg gan ábhar dáin
Chomh fairsing faoinár láimh,
Le hiascáin le linn an tsuaite.

BERKELEY

Ar charraig, a Easpaig Chluana,
A tógadh mise i mo ghasúr
Is bhí na clocha glasa
Is na creaga loma fúm is tharam,
Ach b'fhada uathu a mhair tusa
A Easpaig is a fhealsaimh.

Swift féin an Déan mór
Níorbh ait fós má b'fhíor
Gur fhág tú ar a thairsigh;
Comhla an dorais nár bhrionglóid
I do mheabhair de réir do theagaisc?
Is cad ab áil leis a hoscailt duit
Is gan ann ach a samhail?

An Dochtúir Johnson fós
Thug speach do chloch ina aice
Mar dhóigh go ndearna an buille
Ar an rud ionraic smionagar
De do aisling, a chuir i gcás
Gur istigh san aigne a bhí
Gach ní beo is marbh.

Ní shéanaim go raibh mo pháirt
Leis na móir úd tamall,
Ach ó thosaigh na clocha glasa
Ag dul i gcruth bríonglóide i m'aigne
Níl a fhios agam a Easpaig chóir
Nach tú féin a chuaigh ar an domhain
Is nach iad na móir a d'fhan le cladach.

AN MEANGADH

Do mheangadh a fhir go dearfa
A dhéanann scéal ort is léir,
Réidh chun gáire thú
Is teann as do chéim.

D'fhágais a lán faoin tsrathair
Ag cur na diallaite fút féin,
Ach cuimhnigh nach fearrde neach
Speach ó asal dá ísle é.

AIRM

Tuige don bhean fadó: mór an chaill
Í féin a chaitheamh faoi each?
B'fhéidir go raibh faoi airm gann
Nó nárbh fhios di a bhfeidhm i gceart?

CATH

Tá ina chath
I m'aigne istigh,
Idir dhá theanga
Tá ina throid,
Cor coise á thabhairt
Ag focal d'fhocal
Cneadach is goin:
Eadráin a dhéanamh?
Cur chuige anois
Níor chabhair dom;
An aimsir a inseoidh
Cé bhéarfaidh bua
Cé crua an bhroid.

MO DHÚTHRACHT

Mo dhúthracht a thugas
Is cumhdach mo chinn,
Mo thinneas mo bhláth
Don dán a thugas gan fí,
M'óige thugas ina ndáil
Is meán mo shaoil,
Ach céard deirir le mo ghrá
Lá go bhfacas sa tslí
Dá goid féin cois fáil
Is a folt léi mar shraoill.

A BHEAN A CHAITH AN AITHIS

Chualas gur chaithis
Le mo dhaoine uair
Aithis is guth nár thuill.

Ní fearacht talmhaithe lár tíre
Ór chin tusa más fíor a n-instear,
Ní raibh an oiread fóid faoina dtroigh
Is a mheallfadh a gcion ná a rud.

Ach an chré sin féin cé bocht
Is maith leat agat anocht,
Ar áit na cré d'imigh uait,
Is cá bhfios nach fearr a chruthódh
An tsrathair ná an diallait ort?

CÚIS UAMHAIN

Cúis uamhain linn is imeagla
An seangánfhear inár n-aice,
Ní earra maith an neach
Nár chuir claí ná fál,
Nár bhain fód ná clais láin
Is nár thóg aon teach;
Is más eol dó a athair,
Chuirfinn geall nach eol a sheanathair;
Nó dá mb'eol ba náir leis
Nuair nár sheangán an fear;
Is a dhaoine nach mór an feall,
A nead nár coilleadh in am.

TART AN LÉINN

'Tóg is léigh' a dúirt an guth
Le hAgaistín sa ghairdín uair:
Cogar ón Spiorad Naomh
I gcluais mhic Mhoinice?
Nó gasúr béal dorais
I mbun a cheachta?

Mac Mhoinice is mé féin
Ní comórtas lá ar bith,
Ná ní cogar ó neamh
Ach tart ceart an léinn
A mheall chun an tobair mé.

Ar shonaide mé an t-oideas,
Nach raibh ar an gcarraig ná a leath,
Nó ar shonaide mé i gceart
Mo dhá cheann i dtalamh dá mbeadh?

Cogar i mo chluais-se cuir
A Mhic Mhuire! is fóir
Go séanad seafóid.

SAMHAIL

Le heala ar linn sa snámh
I lár scuaine lachan
Do shamhail, a bhean,
Is tú idir an bhantracht.

Dán a thoirbhirt duit féin,
Ionann a thoirbhirt don éan:
Go brách ní léifir é
Ach oiread leis an eala.

COIGIL DO GHOL

Coigil do ghol a chailín
Is ná bain de mo threoir mé,
Bhainis asam a ndúras leat
Mar sin cosc do dheora.

Faoi airm ní gann tú
Nach bhfuil chomh fuar le do dheora,
A gcur amú liom ní fiú duit
Is ní déarfainn gur fiú leat.

Coinnigh d'fhear eile iad
Na hairm is na deora,
Má dhéanann níos mó ort
Is maith duit agat na deora.

GNÓ AN PHÁIR

A ndeachaigh romham siar
Go Dónall an tSrutháin nó níos sia,
A bpáirt i ngnó an pháir riamh
A lámh ar an bpeann is a marc.

Mo dhúil féin de ghnáth ní mór
I ngnó an pháir seach breacadh dán:
Ábhar priacail dom gach lá
A dtagann i mo chomhair faoi iamh comhaid.

A thuistí a chuaigh romham sall
Sin bhur n-oidhreacht chugam anall,
Maithigí dom nuair is mó mo chás
A malairt dá mb'áil liom de rogha.

SÚILÍN ÉIN

'Gabh i leith, a ghasúir!'
A dúirt Aindí liom féin,
'Gabh i leith is breathnaigh
Sin súilín éin.'

Ba dhraíodóir é Aindí
I mo mheabhair gan bhréag,
Is mheasas nár dheacair dó
Súilín éin a chur i dtaisce
San uirlis ba riail ag siúinéir.

An t-eolas is namhaid
Ag an draíocht a scéith,
Go ndúirt go mb'airgead beo go léir
A bhí i dtaisce san uirlis ag Aindí na mbréag.

Ach níor mhaith liom a chleas
A chasadh leis inniu féin,
Dá n-éiríodh chugam amach
As a chomhad cré.

DON FHILE ÓG

Mair a mhic ar bhia cladaigh
Ar chrústa aráin, ar fhata;
Ach ar a bhfacais, a dhalta,
Ceangal ná fulaing ná bagairt.

Níor mhór liom duit, a chara,
Malairt bail ort seach ar chreanas;
Fear an mhisnigh ní chailleann
Is cá bhfios nach dtabharfá do cheann leat.

BÍ I DO CHRANN

Coigil do bhrí
A fhir an dáin,
Coigil faoi thrí,
Bí i do chrann.

Coigil gach ní
A fhir an dáin,
Ná bog ná lúb
Roimh anfa an cháis.

Fan socair
Fan teann,
Is fair an uain
Go dtaga do lá.

Corraíodh an ghaoth
A fhir na laoithe
Gach duille ort thuas;
Do stoc bíodh buan.

Uaigneach crann
I lár na coille,
Uaigneach file
Thar gach duine.

Daingean crann
I dtalamh suite,
Cosa i dtaca
Cuir a fhile!

Coigil do chlí
Coigil d' aird,
Coigil gach slí
I gcomhair an dáin.

Tá do leath baineann,
A fhir an dáin,
Bí fireann, bí slán
Bí i do chrann.

AN DEALBHÓIR BUAN

An saothar lena gcaithir dúthracht
Á mhúnlú chugat oíche is lá
Táim féin fiosrach faoi, ní nach ionadh,
Óir is mé is ábhar agat a bháis!

Mo bhealach is mo sholas fág!
Go bhfeicead m'aghaidh ó aréir,
Go bhfeicead gach log, gach roc,
Lorg do láimhe gan sos ag snoí.

Ní mór an chomaoin orm
Féachaint maidin is nóin dom féin,
Mise a shuigh duit gan cor
Tuilleadh is leathchéad bliain.

Rud eile fós a bháis!
Beidh críoch ar an dealbh lá,
Is í á cur ar taispeáint
Ach ní fheicfeadsa ná mo scáth í.

O'CASEY

Níor bheag do ghnó
A dhaingin fhir,
Do thasc níorbh éasca fós,
Den nead seangán
An chloch a thógáil,
Den choire bréan an clár.

An peann i do láimh féin
Níor choigeal i láimh óinsí é,
Ag seasamh a chirt don duine
Ar mhór agat a shéan, a shonas.

Éamh an chréatúir is a dhán
Ba ghaire do do chroí lán
Ná ceobhrat éithigh is camafláis,
Ná seachtarchéim cé ard.

Tart na córa is móríota
Go suífí an ceart i bpáirt,
A chaith do chabhail, a shníomh tú
A d'fhág ár bhfear feochartha ar lár.

A lán dár fhigh tú as cnámhghoin
Níorbh áil le hál an tsámhrith;
Ós deoraí cheana fear na cnise
Ba dheoraí faoi dhó thusa.

An mana ab áil le Heine file
Ós a fheart, a chréchomhad,
Duitse ba chóra thar chách eile
A thug leat stór den daonnacht slán.

A fhir a d'fheoch le fíoch an chirt,
Má d'imigh ón tsine sular chalc do chuid,
Orainne fós abhus a chol
Go bhfuilir i gcéin anocht.

[130]

MO CHEIRDSE

Foighid ar fad mo cheirdse,
Samhail agam iascaire
Ag fanacht le breac.

Breith ar eite éisc
Is fusa ná ar dhán
Is tuile na héigse ag trá.

Samhail agam duine
A chaillfeadh a dheis
Gan breac a bhreith leis.

Cá ndeachaigh duán is baoite,
Cá ndeachaigh dorú is slat,
Is mo bhaisc éisc cár chaill?

Idir dhá chladach
Atáid na héisc uaim,
Idir dhá chleacht
Mo dheis a chaill.

ROMHARTHA

Mall a dtriall chun cúraim
Is comhaid leo ar iompar,
Rámhainn i láimh gach fir
Is i mo láimhse spáid,
Déarfá ar ár gcrot gur chóra.

Más tromchosach iad ag triall
Is mise riamh troighéasca
Ní fhágann sin agam ábhar maíte,
Is don ghannchuid chré is chloch
A bhíodh faoi mo chois mo bhuíochas.

Ach tá clann an fhóid is na gcloch
A thug an rámhainn is an sos
Ar chomhad, ar phráinn, ar bhroid,
Romhartha gan fréamh ar aon chor.

GASÚIR I

Criathar chun tobair le gasúir
Nó gad chun gainimh go síor,
Obair nach follas a toradh
Cé ard a torann go fíor.

Spórt is taitneamh na hoibre,
Go deimhin níor mhór linn dóibh,
Is níor dhonaide neach an torann
Ná níor dhochar a n-uaill go deo.

Murach taoille tuile a bheith ag teacht
Go mear orthu aniar aduaidh,
Is gan acu ach píce chun toinne
Cá bhfuil ár bhfeara go beo?

Céard ba chúis le téachtadh?
An bhfuil fuil na bua in éinne?
Nó an leanaí fós ar chéill iad
Go léir ár bhfeara ceannais?

GASÚIR II

Na gasúir a chuaigh ar seachrán
Níor chóir a rá nár léir dóibh
Ceann an róid ar feadh a dtuisceana.
Ach is follas faoi seo nár léir an chonair:
Cinseal is ceannas a chinntíonn réim;
A mhalairt a thuiscint is dul dá réir,
A fhágann ciall cheannaithe dhóite ag a lán,
Cúis chnáide is cnead faoin gcliabh.

AN PHÁIRC

Mo theacht uirthi aniar
Den charraig thrua shinsir
A thug orm suí seal
Ar a colbha le hiontas,
Is beart a dhéanamh de mo mhian
Tráth ar ghabh a draíocht mé:
An pháirc a threabhadh a rinne
Gan dua a dhéanta.

Nuair a leagas uaim an aisling
Ar feadh tamaill, nuair a bhíogas,
Nuair a chuaigh ag déanamh branair
Ar fhearann branair an iontais,
Ba mhinice agam cam
Gach iomaire ná díreach.

MALAIRT DÚILE

Dúil i mbraon as tobar na ngrást
Dúil thar dhúil san Abhlann bhán
A bhíodh ag seandaoine an bhaile
Tráth a dtagadh an sagart,
Is Críost ina dháil don tsráid.

Dúil eile nár dhúil na ngrást:
Sinne gasúir ag tnúth le harán,
Ní arán neimhe ach builín bán;
Fuíoll bhéiléiste an tsagairt
Is siúcra geal ina mheallta ann.

TUISMITHEOIRÍ

Mise athair mo dháin
Tusa féin a mháthair,
Tusa nach bhfeicfidh do ghin,
Gin nach bhfeicfidh a mháthair.

Teagmháil gan gníomh coirp
Síolchur gan treabhadh báin,
An toradh níorbh ualach ort,
Mise a d'iompair an dán.

MEATH

Cealg an chreabhair
Is an bás ina aice,
Is cóir a deirtear
Gurb í is measa.

A fhearacht ag daoine
Nuair is gearr a seal,
Ag dorchú ar a chéile
Is an cine ag meath.

COMHAIRLE MO LEASA?

Cuimhneod ort go héag
A fhir an bhóna bháin
Is an léine stalctha gheal
A shroich ort síos go hucht,
Is an chomhairle a thugais
Le dea-chroí uait
Is mé ar tí dul faoi chuing:

    'Bhain leatsa fir theasaí
     A bhí tapaidh ar a mbuille
     Ach é bhaint astu:
     Tobainne is taod a dteist;
     Ná leansa a lorg
     Ar eagla do bhriste.'

Chonaic an t-ógfhear íogair roimhe
An cladach is adhairt na feamainne—
An chloch, an chré, an chreig,
Is d'eagla filleadh ar an gcarraig
Chúbas chugam an iomad ó shin.
Cá bhfios dá gcuirinn uair nó dhó
An rud nach luafad ar crith
I gcorrthriosachán a thuill an bhail sin uaim
An mbeadh mo lámha féin ar crith
Mar atá le seal anois?

CÁ BHFIOS?

Luí mór dá ndéanainn
Ar nós an asail sa draoib,
Fuinneog nó dhó dá mbrisinn
Srón, smig, nó straois,
Aird breise ar mo dhán
A tharraingeoinn—ní mé?
Ach b'fhéidir mé a chur
Isteach ar thóin gabhainn
Go lobhfadh mo chnámha síos?

LÁ COTHROM MO BHREITHE

Torann níor dhual dúinn a bhaint as mar lá
Níor dhár dtruachleacht é mar ghnás:
An lá níor thugamar dár n-aire é
Ó chuamar ina fhúr ar dtús le scréach.

An leathchéad is lena chois dhá bhliain
Atá slánaithe agam féin ó inné,
Is in áit mo chruach a bheith thuas go léir
Níl agam ach leathghad ar mhalach féin.

27 Samhain 1962

LÁ AN SCRIOSTA

Céard is díol éimhe
Is an bás ina shuí
Ar chírín an domhain?

Ráta malartain na huaire?
A fhir bhig an úis,
Ní cabhair duit a pháirt
Lá an léin.

Cá rachair le do ghiota páir
Má théann malairt
Ar staid na críche go léir?

Ní cúig i do láimh
Ná dáil chabhra
Giota giobach mar é.

Fear ab fhearr ná thú
A d'fheilfeadh go géar,
Ná bíodh ina láimh
Ach an spáid féin
Giodán slán ina aice
Is dias ina ghlaic don chré.

DO MO AINT PEIGÍN

*(Mairéad Bean Mhic Dhonnchadha
I nDilchuimhne)*

As dúthracht a phógtá mo ámh
Ar mo chuairt chugat gach uair,
Nós cúirtéise nach bhfaca mé
Ag bean eile san áit,
Is na titimeacha cainte
A chuala agatsa bhí aois orthu
Mar a thiocfaidís ó ré na sua anall.
Mo léan! nár thugas liom
Mo leathdhóthain díobh,
Sular cuireadh glas ar do bhéal
Is séala na cré ort go brách.

EALABHEAN

Deireann gach cor is gotha,
Deireann do cholainn uile:
'An bhfuil sibh réidh faoi mo chomhair?'
Is ní túisce cos leat thar dhoras
Ná is leat an duais ó mhná,
Is nuair a théir go héasca thar bráid
Is stáitse agat an tsráid,
Ná ní áibhéil dúinn a rá
Nach siúl do shiúl ach snámh,
Is tráth scaoilir gatha do scéimhe
Ní thagaid ó leanbh go liath slán.

FIR FAIRE

A fheara a shuíonn ar feadh na hoíche
I bhfeighil na tine go maidin,
I mbun bhur gcúraim fhada fhuar
Ag faire aithinne is lasrach,
B'áil liom a fháil le fios
An bhfaigheann sibh foilsiú briathar
Ná cogar ó dhúil óstalmhaí
Is sibh in aice na tine go maidin,
Nó má lig an oíche libh aon rún
A rachadh chun sochair don dán a fheara?
Tugaidh tosach d'fhile ar a thásc
Murar cuireadh oraibh fainic.

TEAGMHÁIL

Ba den chéir do mheangadh
Ag teacht faoi mo dhéin:
Titim ar chúl mo chinn
Ab óbair dom lena linn,
Is ní fios an céir nó puiteach
A bhain asam sciorradh;
Is ghabhas do phardún
Go ndúrais nár ní leat é;
Ach dhorchaigh tú i do chloch
Ag dul uaim de shaighead,
Is d'fhág an gnó ina chéir bheach
Ionas nach indéanta agam
Céir den chloch is tusa.

TAIBHSÍ

(Do Phádraic Ó Concheanainn,
Éamonn Ó Tuathail agus Domhnall Ó Flannagáin)

Ní dúil sa deoch
A thug sinn ár gceathrar anseo:
Taibhsí a fhiach ár ngnó in aice an óil,
Cé firéad níor chruthaigh Dia
A chuirfeadh aniar na fir.

Déirc le deoraí ar bith
Nach bhfuil thiar aige ná thoir
Samhail is ráite gach fir
A shaibhrigh a óige
Tráth ar líon a stór fis.

Feoil den tsamhail ní indéanta,
Ach is cleití na ráite in adhairt ár gcuimhne;
Lón anama a roinnt le chéile,
Ní beag mar dhéirc sin.

[141]

FOLAMH

Rinne mé firéad d'fhata bán
Is chuir i gcoinicéar caoch é
Ar thóir coinín nach raibh ann:
Cur i gcéill an ghasúir gan dochar tráth,
Is bhaineas taitneamh as an ngníomh
A chuir thart píosa den lá.

Minic le seal mé ag iarraidh dáin
A chur as coinicéar m'aigne
Is gan a ábhar le fáil;
Gníomh nach dtugann taitneamh
Aon oíche dom ná sásamh aon lá:
Ní cabhair dom feasta an fata bán.

BOIGE

An té a thógann máthair
Gan athair ina dháil
Ní rí ar thada é;
Is mogha ar bhoige é.

Ar bhrollach, ar chíoch,
Is bog í a chríoch,
A choisceadh is mall.

Ó bhrollach go cíoch
Is ó chíoch go brollach,
Sin agaibh dán
An té a thógann máthair.

Is tar éis an ghnó
Ar tuirse a leath is níos mó,
Déan gol a mhogha,
Ní miste deoir nó dhó.

An gad imleacáin do chuing,
Go brách ní ghearrfaidh;
An té a thógann máthair
Dar m'anam! gur silte.

AN CNÁMH

A bheith aosta ní peaca,
Ach géilleadh don aosú
Is peaca faoi sheacht
Nuair is file an fear;
Cé gur mhór an grá Dia
Tabhairt ar éigeas ar bith
Gan a bheith mar fhiach dubh
I mbun an chunúis ag faire,
Ná fós mar ghadhar le cnámh
Ar a charn aoiligh ag dranntán,
Goid a chnáimh ní dó is eagal;
Cnámh gan smior ní éadáil
Ag bráthairéigeas ná tairbhe;
Feoil úr ab fhearr mar bhéile.

MEATH

Ná déan an iomad siúil
A dúirt an dochtúir liom:

'Abair le lacha gan snámh',
Chaithfeadh mo chabhail fós
Dhá chois eile dá mbeadh fáil orthu:
Olc an féirín féitheacha borrtha
Is gan dán féin mar cheirín.

AN DÁ AICME

Thuig Yeats is dhearbhaigh
Gurbh iad scoth an dá aicme
A chothaigh aithinne is lasair.

Berdyaev níor dhearmad
An sách is an folamh
A chur ar dhá cheann na meá,
Gan acu ach leath óna chéile.

An dá aicme mhair
Ar throigh mhairbh na beatha,
Ach níor dhóigh ar a sórt,
Mura ndéantaí seo ná siúd
Go dtitfeadh an t-aer ar an talamh.

BÉARLA IS BÉARLAGAR

Nuair a d'aimsigh an duine an focal céadraí,
Nuair a d'ainmnigh gach ní de réir a chinéil,
Ainmhí, rud, is gach ball oirnéise,
D'fhás anall chugainn Béarla.

Nuair a d'aimsigh an duine téarma
Neamhdhuinigh é féin den léim sin,
Tháinig béarlagar ar áit an Bhéarla;
Mairg nár choill an feic sular fhréamhaigh.

GREIM CÚIL AN DÚCHAIS

A ghaoil i bhfad amach,
Col ceathrar mo sheanathar,
Déarfaí faoi do shórt
Go dtugais cúl le dúchas.

Shuigh tú ar an mbinse
Is thugais breith ar do dhaoine
Tráth a dtáinig faoi do dhlínse
D'ainneoin do ghaoil leo,
Is deireadh m'aint go raibh agat
Power dhá ghiúistís.

Ach chuala mé, is tú
Ar leaba do bháis sínte,
Go mba i dteanga Dhónaill an tSrutháin
A bhís ag rámhaillí faoi do mhuintir.

I gcruthúnas go raibh cúig
Fanta fós i láimh an chine,
Is gur nós leis an dúchas
Greim cúil a fháil ar deireadh.

AN DÁ PHORTRÁID

Ní féidir go bhfuilir in éad
Le do leathcheann eile
Ar an mballa os do choinne?

Ba leatsa *Coinnle Geala*
Is *Dánta Aniar* ina theannta,
Snámh smigín ar mhuir an dáin;
Fiche bliain atá eadraibh.

Má tá cúig nó dhó i láimh
An fhir úd thall ar d'aghaidh
Ní gan dua na ceirde a fuair:
Easpa suain is grá gan iarraidh.

GABHAIR

Arbh as corp díomua a labhair an fear
Nuair a dúirt gur mhó ag an seandream
Faoin seanreacht féin an náire
Ná ag an dream a chuaigh in airde?

Más fíor nach maireann ar an earra cion
Arbh amhlaidh a thit idir dhá chleacht
Tráth a raibh an ghlac á riaradh:
Ní féidir gur cuireadh an iomad síoda
Amú le gabhair san iarracht?

FÁL NA SCÉIMHE

Ró-theann a bhís as do scéimh,
Ba fál í idir tú is cách,
Is má leagais bearna nó céim
Ar éigean ba léir an iarracht,
Cé nárbh áil liom tú go brách
Ag comhrá le do scáth
Sa scáthán nach dtabharfaidh
Bladar ná éitheach duit,
Ach an fhírinne fhuar
Suas le do bhéal duit.

D'AON MHÁTHAIR A SHAOLAIGH FILE

(*Do Norbert Mac Cába*
Faoi chomaoin aige as ucht aistriúchán ar
dhán le Charles Baudelaire a chur chugam)

Cuain choileán dá mbéarfainn,
Go mba slán an tsamhail,
Ceann d'fhanódh b'fhéidir
Agam féin mar pheata;

Ach an ghin seo mic
Feicim branda is marc air,
Is séala air nach geal liom,
Agus is áirithe feasta
A ghean nach liom ná a chaithis,
Ach leis an mbean a ghoid é
Gan iarlais féin ina leaba.

Ní aithním mac seo d'oil,
A thoisc ní thuigim ná a mhéin
Ar mháthair eile a théann le cois;
Crois a ualach an strainséir.

CÚIRT NA SAOIRSE

Solasta atáir a laomárais!
Gleoirtheach atá gloiniúil galánta;
Ach cogaraimse leat a chúirt,
An síbhrugh mearbhaill tú
Nó an taibhcheap magaidh tú
Ar an áras ónar ghluaiseadar
Na móir leo an mhaidin úd;
Mo cheann a chlaonadh uait
Achar beag is deacair liom
Ar eagla nach mbeadh ar d'áit
Ach cual smáil nuair a chasfainn é.

Eagla eile a ghabh aréir mé:
Séideog dá gcuirinn i do threo
Go múchfainn do dhé is do lasair.

Guth ní thuillid uainn na móir
Is ní smál ar a n-aisling cailce
Cosa dreoláin a bheith fútsa
I mo mheabhairse, dar m'anam!

CLANN CHÁIN

Líonmhar iad clann Cháin
A mharc orthu is léir:
Clann Abel d'fhiach
A mian is a ndearbhdháil.

Ní leor dlí na treibhe,
In ollchathair níl feidhm aici,
Ní coimeádaí a bhráthar aon fhear:
A ngaol atá i bhfad amach.

Ní mó is leor dlí Dé
Don dream nach ní leo é;
Dia nua is rogha leo,
Forneart a ainm is éigean.

Ar an talamh tá fós béal
A d'ólfadh fuil as láimh,
Fuil a dhéanfadh éamh
Is scéal ar an mharfóir.

Cosán crua coincréite
Ní ólann fuil as láimh;
Níl béal air don ghnó
Is ní dhéanann scéal ar an mharfóir.

SEACHRÁN

An dual don ró-scéimh
Fanacht bán dá mhéid a cluain,
Is an dóigh leat gur dán di
A bheith amhlaidh i do pháirtse?
Ach ní ollchathair í seo ná baol
Is ná codail ar an gcluais sin,
Mar gheobhairse amach fós
Gur baile beag go leor í,
Is níl dlí na treibhe gan feidhm
Cé lag anois a fórsa;
Nó an dóigh leat go gcuirfir
An lorg ina bhán ar fhear ar bith.

AN BHAIL SIN ORT

An saol a thug do bhua:
Fear a dhiongbhála riamh níor thú,
Céad poll a chuir ar d'onóir,
Is loch faoi do chom ag tuaradh
Fós duit laethanta gliogair.

A bhail féin ar chách
Cuimhnigh a mhic go brách,
Gurb é sin is áil
Le gach coillteán riamh anall.

[151]

UALACH

Ní ualach go hualach uabhair,
Ní uabhar go huabhar file
A fhásann as móiréis na dáimhe:
An fhaid atá tógáil a phinn ina láimh
Tá tógáil a chinn ann,
Is bráithre ina dháil
Ag sníomh le briathra.

Ní umhlaíocht a umhlaíocht
Ach folach priacail;
Is freastal an dá thrá
A chuireann a mheabhair ar fán,
Is a fhágann ina lár
Geit nach den aiteas riamh di.

Ní chuirfí poll ar a ónóir
Dá mairfeadh cion ar an mbriathar,
Ach ó chuaigh an briathar ó chion
Is minic ise ina criathar.

Cabhair dá ngoirfeadh Aogán
Níor ghairide dó an ní;
Geallaim nár ghairide fós
Dá ndéanfadh inniu a ghuí.

SÓLÁS NA CEIRDE

Is fiú an sceoin i do lár
Is a tabhairt leat chun leapa:
Donas is fiú gach lá
Más rí ar an bhfocal tú ala.

Géilliúil do chách ní dochar
Ná i do mhogha ag éigean tamall,
Arm faoi ord do dhán
Más géilliúil duit an focal.

Cén dochar an bás i dtráth?
Ná maireadh ach dán amháin
Nó líne a d'aoibhneodh cách
Beirse i do rí ar oileán.

AN AOIS

Chonac cat ag teacht ar éan,
Ba faichill go léir gach céim,
Is rús an chait sa téaltú réidh;
Ach ar uair na faille fuaire
Tháinig ar an éan de léim:
Amhlaidh a thagann an aois féin.

ACHASÁN

Achasán éigin i ngarbhghlór
A chaith dailtín i mo threo
De dhroim ghluaisrothair:
D'imigh na focail le gaoth,
Is an bhail chéanna a ghuím
Ar a dtiocfaidh eile uaidh.

Mhionnóin go raibh aige féin
Teastas an léinn ó scoil éigin,
Ach geallaimse dósan gan bhréag
Gur chaitheas-sa seal de mo laetha
I dteannta daoine uaisle gan 'léann',
Gan focal dá theanga ina mbéal.

Teastas ní raibh acu ná a dhath
Ach lámh ar an bpeann is a marc,
Ach cheapas a gcaint i mo líon
Mar ba thrua í ligean le gaoth:
Trua eile nár cheapas tuilleadh di.

M'UALACH

Táim go dian ag tochailt fúm
Ag déanamh ar leic na humhaile,
Ó sheol tú ar an toisc mé
Níl fear mo choisc ann.

Do chluain a bhean a chuir
Ar thóir na leice mé,
An leic ionraic, mo leic féin
Atá faoi m'ualach cré.

Bíodh ina chath ós é ár ndán
Idir do chluain is mo stuaim;
Go dtiocfad ar an leic slán,
Go gcaithfead mo náire mar lán.

Caithfead mar lán mo náire
Is múchfad do chluain faoi m'ualach:
Ach a bhean fiafraím de chách,
Céard a mhúchfadh do gháire?

TROMLUÍ

Mura brionglóid mo shaol le seal
Geallaim gur tromluí déanta é,
Is déarfainn go raibh namhaid ar mo thí
Dá mb'fhiú a shaothar mé.

Nár chóir go mbeadh namhaid i mbrionglóid
Is mise ag imeacht i mo léine
Gan fáil ar mo bhríste?
Nár chóir go mbeadh náire orm
Is an slua i mo thimpeall?
Nó an fuacht na heagla
Is córa i mbrionglóid?
Fiafraigh de Freud sin!

Ní dhéanfadh brionglóid mo chúis-se,
Tromluí mo dhíolsa:
I mo dhúiseacht is ní i mo chodladh
A bhaintear as mo ghreim mé:
Braithim scraith ghlugair faoi mo chosa
Ag triall ar an mbruach dom,
Ach eagla an pholl slogaide
A chalcann mo bhríse.

FOCALRABHARTA

*(Do Chaitlín Maude
ó bheith ag éisteacht léi ag léamh a dáin)*

Ní bean ná fear tú
I mo mheabhairse, is tú
Ag aithris do dháin,
Más aithris is cirte a rá,
Ach neach de chlann na mara;
A goirme is a glaise
Ag iomaíocht i do shúile
Is tú ag ligean do racht chun fáin
Ina fhocalrabharta.
An scorn leat peann
Ná pár mar áis,
Tráth a dtagann do dhán
Te bruite as do chroí lán?

IARRAIDH AGUS FREAGRA

'Nuair nach bhfuil uait ag teacht
Aon dán den rath le seal'
A dúirt mo dhuine liom féin
'Inis scéal nó cum bréag
Nó scríobh dréacht de léim,
Nó ceapfaidh an dream léir
Go bhfuilir leamh gan géim
Is tagtha ar laethanta gliogair;
Go bhfuilir lag gan bhrí
Is millte ag an teilifís.
Mithid duit den chaoineadh stad,
Tá lucht do cháinte ar do thí.
Scaoil chugainn dán fada,
Feircín breá buí ime,
Im gan salann ní maith an t-earra,
Cén chúis chantail sin agat
Nó céard ab áil leat
Ina bhfuil romhat feasta?'

Ní háil liom a dhath
A dúirt mé féin ar ais
Ach thabharfainn gach ní
Dár chuireas faoi chuing
Na bhfocal le mo linn
Ar bheith i mo ghasúr arís
Ar bharr na cora duibhe;
Mar creid uaimse a dhuine
Gur cúinge cathair ná oileán.

CRAINN IS CAIRDE

Crainn is cairde iad mo dhánta
Tráth a dtagaid chugam go héasca,
Coill faoi bhláth mo chnuasach dán:
An té a leagfadh crann, seo mo lámh!
Go scriosfadh mo dhán dá bhféadadh.

CUAL

Is clos dom go bhfuil do theach ar lár
A sheangbhean! Ní foláir nó leagadh cual:
Cual cuimhní ar fhód teallaigh,
Stua, binn, mana is cló armais;
Cnead faoi do chroí féin is trua
Ach ailp ag an bhfaoileán conáigh.

AN TOIBHÉIM

(*Do Shomhairle Mac Ghill Eathain*)

Níor chuir fear fós lámh
Ar chorrán na gealaí,
Ná 'órd ceann-chruaidh thairis':
Toibhéim níos táire ba dhán
Dár bplainéad geal gaoil,
A chos a chuir sé uirthi.

AR AÍOCHT DOM

A ardchathair ársa ár dtíre!
Lán mo choise bainim coitianta
As cosáin do shráideanna
Ach torann níor bhaineas astu
Mar a dhéanfadh fear a déarfadh
Gur leis féin tú ó cheart sinsir:
Is do mo ghoid féin a bhímse
Trí na mílte faoi mar is cuí don té
Ar strainséir é is aoi ar d'ucht.

AN GAD STOITE

Nuair a théim os cionn staidéir,
Nuair a thagaim ar mo chéill,
Tuigim nach oraibh a chol
Ach ar bhur dtuistí féin,
Nó ar a dtuistí siúd siar,
De dheoin cúinsí crua na staire
Go bhfuil gad imleacáin an chine
In bhur bpáirtse stoite;
Is meabhraím murach fál na toinne
Is iargúlacht mo chine
Go mbeinnse mar atá sibhse
Gan inné agam mar chiste.

MO THAIBHSE

Mo thaibhse dá dtagadh an treo
Níos faide anonn san aimsir,
Is séarsa aonair a thabhairt
Bóthar an Dún Ghoirt is thairis
Go Bóthar Thí Mológ ar aistear,
Le neach de Chlann an Bhéarla
Mo chló níorbh ionadh,
Mo bhás dá mb'eol dóibh
An tásc níor chás leo.
Ní foláir nó is taibhse mé
I meabhair an tsóirt sin cheana:
Leo is neamhní mo bheo ná mo mharbh.

GLÓR ACASTÓRA

Cá bhfuilir uaim le fada
A ghlór acastóra?
Thiar i gcúl an ama atáir
Cé gur iomaí oíche i bhfad ó shin
Ba cheol tú i mo chluasa.

Carr Aindí Goill ar chapall maith
Bhíodh ag dul in aghaidh aird
Ar a bhealach go hEoghanacht.
Deireann súile m'aigne liom
Go raibh péint ghlé dhearg air,
Ach ní hé sin is measa liom
Ná is mó a airím uaim,
Ach glór an acastóra
A bhogadh chun suain mé.

MALAIRT SAOIL

Néaróg dá luafá le m'athair mór
Déarfadh go mba bhreac an rud
Nár rug air fós ina líon,
Nó piolla a lua leis arís
Déarfadh go mba bhaoite an ní.

Aistriú ón gcarraig don chathair
Ní indéanta gan a dheachú a íoc:
Ní aduain ag mac a mhic
Aon cheann den dá ní.

EOCHAIR MO GHÉIBHINN

Modarmheabhair mo mheabhair anocht
Is d'éis meirse an ghnáthaimh is lochán m'aigne;
Ach seo mé ag tochailt ar a thóin
Ar thóir eochair mo ghéibhinn:
Ábhar dáin is faoiseamh anama.

FUACHT IS FAITÍOS

(Do Áine)

Fuacht is faitíos,
Minic a chualas
An dá fhocal
Dá lua i bhfochair
Ach níor thuigeas an gaol
Idir an dá ní a shloinn
Mar a thuigim anocht a Rí,
Oíche chinn bhliana
Is mo rún i bpéin;
Meall seaca i mo lár féin,
Is mar a bheadh thart
Crios air nó gad
Déanta den dá ní:
Eagla m'anama orm
Nach mairfidh sí agam.

Oíche Nollag 1967

FÁL SOTAIL

Mise bheith balbh
Is seasc ó bhreith dán
Creidim go mba leat nár chás
Is tagadh sotal do scéimhe slán.

An fál a thógais eadrainn
Agamsa atá a fhios gurbh ard.

Nuair nach bhfuil aon siolla
De mo chaint i do cheann,
Ní heol duit gur chumas
Véarsa ná líne i do pháirt.

Fág agam agraim ort
Sólás rúin an dáin,
Cé go bhfuil a fhios
Ag an lá gur fuar.

EOCHAIR NA FOGHLAMA

Tú féin a dúirt a Dhia!
Is cé déarfadh i Do choinne,
An té a d'isleodh é féin
Go n-ardófaí é go cinnte:
An té a íslíonn é féin abhus
Bail óinmhide is túisce air
Ach ní folamh é dá chionn,
Mar cuireann an chaoi a gcaitear leis
Eochair na foghlama ina ghlaic.

DO RISTEARD DE PAOR

I ngeamhthráth na bliana
Tháinig an bás do d'iarraidh;
É a thug leis do bhruth,
Do chruth gur chuisnigh:
Tásc a chuairte a ghoin sinn.

Fuath leis an ngadaí fuar
An samhradh is bláth an bhairr,
Is bheartaigh ar a reodheis
Duais na húire go mbeadh leis.

A theacht sa samhradh níor chuibhe
Chugatsa ar shamhradh do mhéin go huile,
D'aoibh mar leoithne shéimh
Cé nár réidh tú chun teanntáis.

Luath a leagadh do chrann,
Is do cholainn bhán
Ina pár ag cruimh is trua;
Ó scoir do chuisle i do bhráid,
Ó thit an chnis as do láimh.

DEA-CHOMHARSANACHT

Dea-chomharsanacht fógraím
Ar neamh-dhaoine is díbirt:
Seangán-fhir ní hiontaoibh,
Eagal liom a ngníomha;
Ní fios cén mhísc-ghin
Ar óbair dúinn a holc
A thiocfadh as aon ubh
Ar a mbíd ar gor.

CUING GHNÁIS

An fear a chaith splanc ón tine chnámh
Isteach i ngarraí an dorais
Níorbh eol dó athair an ghnímh a rinne;
Ach chomhlíon cuing ghnáis,
A rinne aon chine amháin
De chlann an fhóid anall
Ón Ind go dtí An Sruthán.

BILE A THIT

(Ómós do Mháirtín Ó Cadhain)

Fuil na bua a théachtaigh
Is bile ár gcleacht a thit:
Tásc na tubaiste fuaire
A rinne oighear den mheidhir sna fir.

Ba feannta an uair í,
Ba chaillte an mhaidin,
Ar leagadh san uaigh tú,
Is cé nach í cré do mhuintire
A dáileadh síos leat
Ní miste an cumasc duitse
A ghlac chugat Éire uile
Le páirt is tairise di.

Mallmhuir ní luaifear leat
Ná go brách lagtrá:
Ba rabharta a théadh thar maoil
Do bhruth is do chumas;
Ach is olc a théann an rabharta
Ar an mallmhuir dúinne.

Le fíoch ba mhinic a d'fhiuchais,
Truabhail do chleacht
A líon do racht gur scaoil.

Mura ndeachaigh namhaid ná cara féin slán
Ó aghaidh do chraois
Maitear a lán do rí an fhocail;
Maithfear duitse mar sin
I do rí gan freasúra a chuais go Cill.

Ach ní tú thit ann:
Meirge Mhurchú a thit arís,
Cionn tSáile eile a briseadh orainn,
Eachroim an Áir is Scairbhsholais.

DO MHAC PHEAITS SHEÁIN

Ní shamhlóinn agat spáid
Ach mar acra meirse,
Is tú ag gnáth-thiaráil
Do lón an bhoilg,
Mar níor chuí do do shórt
Do dhá cheann i dtalamh,
Ós tú thug do cheann
As gach gábh mara
Is as gach gleo fear.

B'é do bhuaic riamh
Bheith ag tabhairt dushlán toinne
Ar mhuir do dhiongbhála
I do churrach a bhíodh umhal duit
Ar ucht ard suaite,
Is do dhá mhaide rámha
Ag gearradh tonnta arda.

A fhir mhóir fhada
A fágadh ar an gcladach
I ndiaidh na foirne
Ba ghnách i d'aice,
Is gann atá deatach anocht
Ar an mbaile ór tháinig.

A churadh curaí
Nár shuigh riamh
Ar an seas láir
Is nár cuireadh ar an séú breac,
Peadar is a fhoireann
Go raibh romhat
I gcuan na gceart.

GNÍOMH DÓCHAIS

Ós faoistin gach dán
Ba mhór m'eagla tamall
Cluas bhodhar na sagart
Go bhfágfadh mise balbh.

Daichead bliain is breis
Atá teanga eile agam,
Ach mo pheacaí fós ba leamh
I dteanga nach liom ó cheart.

Ach feicim anois le seal
Dream ag glacadh gráimh
Nach gcuirfidh ón mbosca mé
Ach a éisteoidh liom go sásta.

I gcead dom athair faoistine
Ní gníomh dóláis tar éis dáin,
Ná breithiúnas aithrí caillte,
Ach gníomh dóchais is áil linn.

MACHNAMH AN MHARCAIGH

Corrach mo shuí anocht
In airde ar mhuin an eich,
Bheith thuas cé go te
Ní deimhin de dar liom
Gur buan dom sa diallait.

Cé tinneasach mé
Ó na mairc a tholg,
Is ó chuimhne na bé
A thabhaigh an siúl dom,
Ní hé is measa ar bith
Ach líonrith ionam istigh
Go mbrisfidh an gad boilg.

Má sciurdaim thar an gcloch
Ná daortar mé dá chionn,
Is gurb é eagla mo thitime
Faoi deara mo shodar.

FIOS

Ní heol dom ach bean amháin
A d'inis dúinn cad is bean,
Ní mó is eol dom beach ar bith
A d'inis dúinn cad is beach.

Ní heol dom bean ar bith
A d'inis dúinn go beacht,
Cén chaoi ar feasach í féin
Fear a bheith fós ar each.

CEIST A CHUIREAS

Ceist a chuireas ar an bhfiach dubh
Arbh eol dó céard ba uaigneas:
'Geal liom,' ar seisean, 'mo ghearrcach,
Ach is minic nach geal, mo chreach!
Leis an gcearc is áille clúimh é,
Is bíodh sí sásta ar ball féin
A sciatháin a leathadh go fonnmhar
Is uaigní mise dá fuarmheas':
Thuigeas don fhiach dubh an uair sin.

BORBSHOLAS

Borbsholas i lios an léinn
A dhéanann gach ní léir;
Ach mholfainn dom féin
Éalú seal ón ró-léire
Atá sa lios seo anocht
Óir ní as gile iomlán
A thagann dán,
Ach as bolg an dorchadais,
Is ní fearr chun cuardaigh
Solas bolgán uaibhrigh
Ná cam is ola throisc.

TÚS DÁIN

Idir an bualadh
Is an rith fada
Ón gcailleach
Go dtí an daor,
Nó ón daor ar ais
Go dtí an chailleach
A dóitear:
Tús dáin dó.

LÚB AR LÁR

Cloisim taobh liom an comhrá,
Ach ní fheicim an vástbhalla
Ar a leagaidís a n-ucht na mná:
An leathchomhla ní fheicim,
An tuirne ná an cheirtlín snáith.

Ní chloisim an chaint líofa
Ab fhiú a shníomh i ndán:
Idir dhá chleacht is mairg
Gur ligeadh an lúb ar lár.

NA MÓIR

Na móir ní fhéachann
Chomh mór is a measadh,
A thúisce is ligid a rún
As comhad a gceartlár.

Is é an t-éad an ailím
A ghineann an magadh,
A mbíonn an nimh
Ina eireaball casta.

Tá sé air a fhiafraí feasta
An mór ba mhór go dearfa,
A ligfeadh an t-éad ina aice?
Ní áirím dul go fréamh go seasta.

AN EOCHAIR

Nuair ab óige mé a bhé
An eochair níor chás dom,
Bhíodh gach ní agam ar deil,
Is aon uair a leagainn uaim í,
Bhainfeá an glas den doras
Go dtéinn go mear i d'airchis.

Leagas uaim í le gairid
Mar nach uirthi bhí m'aire
Ach ós éigean dom faoiseamh má mhairim
Bain an glas de dhoras do theampaill.
Is geallaim duit go ndéanfad dán,
A thabharfad duit mar thoirtín;
Ach thar gach ní a bhé bhán,
Cat crochta romham ní háil liom.

BAILBHE

Labhraim sa cheart go léir
Nuair a deirim go bhfuil
Mo thrumpa as gléas,
Ionas go molfainn dom féin
Éirí as an ngnó fuar seo.

Níl mo theanga féin
Ná teanga na comharsan
Ar deil anois agam:
Sin é an bualadh cabhlach,
Ar deireadh is tuar bailbhe.

TEANGA AN PHRÍOSÚIN

Samhail agam cime
A chaith an fhaid istigh,
Is nár aithin a mhuintir é
Nuair a tháinig amach:
Teanga an phríosúin a chleacht mé
Le tuilleadh is daichead bliain,
Is cé go bhfuil mo théarma istigh
Ní fhaighim mo theanga féin liom.
Is níor cruinníodh liom stór céille;
Ach ó cuireadh banna orm go hóg
Tuigim don ghliomach sa phota stóir.

DÉAN MUINTEARAS LE BEAN

Déan muintearas le bean,
Dheamhan cara níos fearr ag fear:
Más leannán tú nó mac,
Más uncail tú nó athair,
Más ropaire nó gealt,
Más rógaire na gcleas,
Más dóigh le cách gur dubh,
Dar léise fós gur geal.

ATHRÚ

An cuimhin leat an lá
Ar leagais ar chrann do lámh,
Ach nach raibh agat ach a leath
Mar go ndeachas féin
Ag déanamh aithrise ort
Go mear de léim dheas.

Leagfainn féin fós
Mo lámh ar chrann
Mar rinneamar tráth
Le barr alluaicis;
Ach ó chuaigh tusa
Le tuairimí tura
Is go bhfuilir acu gafa,
Is mór m'eagla go gcaithfidh
An teagmháil do choinneal;
Ach geallaim duit go dearfa
Nár gheal liom an t-orlach.

DON TÉ SIN

Meirleach na mara
Nuair a fhaigheann
A chuid ó na héin
Níor chuala dar m'anam
Go gcáineann an déirc
A thiteann ina bhéal!

Fearacht an scua mhóir
Ní fhaigheann tusa
Dua an tsaothair,
Is foghlaim go beacht
Ceacht ón éan.

SAMHAIL

Samhail agam fear
A bhainfeadh trá ghaoithe
A sheolfaí i dtír
I gcladach aineoil,
Cé nach beo mé fós,
Ach i mo shuí san oíche
Ag faire an chladaigh.

MO LEIC

Is gnó dom féin fós
Dul ar thóir mo leice,
Dul ag tochailt fúm
Sa chlais chúng
D'fhonn teacht uirthi.

Clais an éigin mo chlais
Is é mo dhán an tochailt,
Iomad cré a fheicim fúm
Ní fhacas i m'óige an oiread,
Ach dá airde an t-ualach fóid
Ná glacaim sos ón tochailt.

Bean a chuir ag tochailt mé uair,
Uair eile ba fear a rinne,
Seard is measa liom, dar an leabhar,
Nach n-aithním ceart fós
Mo leic féin seach leic eile!

DEIREADH DO SCÉIMHE

Anois nuair is léir dom
Dála gach mná ort
Atá i meán a laethe,
Nuair a chuirir do chos
Mar thaca romhat amach
Is ní chun cuiridh
Mar ba bhéas leat,
Geallaimse féin duit
D'ainneoin gach geite
Is gach arraing chléibhe
Dár thabhaigh do chló
Is do mhéin dom,
Nach geal liom a bhfeicim!
Deireadh do scéimhe.

CÚIRT AR DHÁN

'Cé mar 'tá an chumadóireacht?'
A dúirt an fear liom go lách;
Culaith ghlas thuas air,
Is scáth fearthainne ina láimh,
'Tar isteach' a dúras féin
'Go bhfeicfidh tú dán.'

Ghlac le mo chuireadh go fial
Leag a scáth fearthainne
Go cúramach cois balla,
Shuigh faoi ar chathaoir
Is rinne binse den bhord,
Gur chomhair gach siolla go beacht
Gur thomhais gach líne sa dán.

Ba stór seanfhocal ar a chosa é
Is ba fial faoina stór gach lá,
Ach lá úd na cinniúna
Níor scaoil sé chugam ach ceann:
'Namhaid an cheird gan a foghlaim'
A chualas as a bhéal go fuar,
Chroch a scáth fearthainne leis
Is bhuail go sásta bóthar.

Cara den namhaid tréan
Ní dhearna mé féin fós
Tar éis tuilleadh is tríocha bliain,
Ó cuireadh cúirt ar mo dhán.

AG BREITH AMUIGH

An chearc a bheireann amuigh
Is a chaitheann ar an gceird,
Ní fada go gcailleann cuimhne
Ar an ubh nide istigh.

Fearacht na circe agam
Fada mé ag breith amuigh:
Annamh a chloisim glao coiligh
Is ní bhraithim an beo san ubh.

DAMHÁN ALLA

Méanar duit a dhamháin
In airde i mbun do nid,
Trua nach ndéanaim dán
Chomh slán le do ghréasán.
Dá mbeifeá féin i mbun dáin
Dán díreach a thiocfadh uait,
Níor chás duit rannaíocht mhór
Deibhí fós ba bheag ort.

Ní bheifeá ag meath le glasdán
Do shnáth riamh níor bhris,
Ní ionann tusa agus sinn
Níor fhan snáth againn ná cnis.

NEACHA

Filleann an file
Trína chodladh ar a dhúchas,
I dtír gheal a óige
Bíonn a neacha dorcha
Ag déanamh cleasa doilfe
Go buan dó.

Sa chodladh
Tá an fhilíocht
Ag suanbhruith go seolta
Sa dúiseacht tá an prós
Is gnó leamh na huaire.

ÓGBHEAN BHÁN

A ógbhean bhán fág an dual
Atá ar dhath na cruithneachta
Anuas ar fhad do ghualann,
Cé bheadh ina dhiaidh ort?

Go maire do bhláth,
Do choinneal go maire
Is do bhruth go brách,
Is na glaca geala
A riarfadh ar na héigse.

Má tá éigeas beo
Nach ndéanfadh duit lá saoire
Ní heol dom an fear,
Is go deimhin ní mó
Is spéis a leithéid liom.

BLÚIRE

Is cóir a dúirt an Brianach mná
Gurb olc an mhí an Lúnasa;
Ach ós áil le gach Éabha a húll
An bhfuil mí ar bith le moladh?

NEACHEOLAS

Ní deirim go deimhin a bhean
Gur inis do neach bréag duit,
Ní deirim ach gur trua go léir
Nach bhfuil fios neach gach mná
Is a shamhlaíocht ar chomhchéim
Má thagann sin sa déanamh fós
Rachaidh gach fear don uaimh dhubh
Nó iarrfaidh car is coimirce.

BUÍOCHAS

Fáilte roimh an éadáil uaitse,
Na focail a chuiris ag rince:
An ait leat gur tú an eochair
A d'oscail comhad an tsoláthair?

Chuiris go dearfa tuilleadh
Trí mo chuisle ag rince,
Ach ós déirc le bocht a bhfaigheann
Is nach cead doras a dhéanamh
Ar aon ní is leatsa,
Is déirc liom na focail feasta.

FEICEÁIL

Úll a rinne gnó Éabha:
An féirín nuair a thug don fhear
Níor fhág é gan aithne ar a bheart,
Níor thug ar Ádhamh meas amail.

Méabh ba chóra ort féin,
Is gaire duit ná an t-úll
An deoch suain mar arm:
Dhá mhó do tháir, dar m'anam.

TUSA

Nach iad na gealbháin
A bhíonn dána i Vársá?
Iad go luaineach thart
Ar na boird chruain:
Gach éan ina bhurla teanntáis.

Na gloiní tae ar na boird chéanna,
Agus tú féin ar do bhealach
Go Moscó ar maidin
A thug Chekhov i mo cheann.

Is iad na spideoga
A bhíonn dána in Éirinn
Is a dhéanann teanntás;
Ach cén dochar a thoirtín mná,
Tiocfaidh do chuma chugam
Le ceiliúr na n-éan gach lá.

FÓMHAR NA POLAINNE

Cnó a thit agus cnó eile
Anuas ar mo cheann
De na crainn sa pháirc,
Ag fógairt fómhar na Polainne
Ar cholbh Chathair Vársá.

Gháireamar beirt go hard,
Is thugais léim aitis
Gur leagais ar ghéag do lámh,
Chuaigh mise ar d'aithris
Ag tabhairt Fómhar na hÉireann sall.

Ach le linn an ala aitis
Tháinig ainnir eile i mo cheann,
Ach go mba i bhFaiche Stiabhna
Cois Life a leagamar
Ár lámha ar an gcrann.

AOIS

Le file ná luaigh aois
Ní fheileann an ní dó,
Ní ealaí dó néal féin
A ligean cois tine as a cheann;
Má luair an bhliain is an mhí
Níl agam leat le rá
Ach nach mbaineann an ní le mo chás.

Tá rún nó dhó i mo chliabh
Ach cén tairbhe a roinnt le do shórt
Mura ndeirinn nach mór an deachú a íoc
Dá dhéine féin a chrá;
Ach cé bheadh mall leis an gcíos
Is a liacht fear a bhfuil a bhille glan
Go mb'fhearr leis aige é ina dhóid.

CEACHT

Chonaic mé fríd na tarcaisne
Ag glinniúint i do shúil,
Is an mhóiréis dá cinnireacht
Ar fud an mhogaill.

Measaim leis an gceart
A siúl a chosc gur dheacair duit
Go fiú dá mb'áil leat sin;
An dúchas a fuair
Ar an oiliúint treise.

Ó chuirim dúil sa léann
Is go bhfuilim sásta gach lá
Ceacht a shlogadh,
Ní miste liom an stolladh.

Más leor don fhear léinn
De réir scéil leathfhocal,
Tuige nár leor don fhile
Glinniúint ar fud an mhogaill
In áit an leathfhocail?

D'fhoghlaim mise ceacht
Cé nach bhfaca i do láimh
Slat ná cailc ná clár dubh i d'aice
Ná leabhar mo mhúinte agat.

Ó thugais an t-uachtar leat
D'ólas an bainne bearrtha
Is d'ith arán an domlais,
Ach a bhuí leis an Rí Ard
Chonaic mé dán ag borradh
Is táimse agat faoi chomaoin.

NEAMHIONRAIC GACH BEO

Nuair a bhí tine is ól mar dhíon
Ar shíon na hoíche fuaire
Ba bhurla beag beadaí tú
I dteas na tine os do chomhair
Is ó mheidhir an fhíona taobh leat;
Ach d'aird fós ar do ghnó
In ainneoin tine, óil is teasa,
Ach ní rabhais ionraic ar oileán
Ná aon duine den bhuín a bhí i do theannta.

An seantriath ar an mballa
Go na mhéadal nósmhar,
Is a chaofach mná thall
Gona brollach nósmhar,
Atá ceaptha in dhá phortráid
Atá neamhbheo gan malairt
Le trí chéad bliain is breis
Táid beirt ionraic ar oileán,
Mar tá cloch carraig is trá
I lár na hoíche fuaire.

Sleamhnaíonn nithe neamhbheo
Siar ón mbeo go bhfágann é:
An amhlaidh sin a d'fhág
An t-oileán mo dhán,
Nó ar thugais faoi deara é?

TRÍ GHÁIRE

Stócach faoi ualach cuaile,
Cigire ar an mbóthar is máistir:
Caitheann an cigire leathchoróin
Feadh an bhóthair
Is déanann gáire,
Gáire eile ón máistir.

Cromann an stócach go dtógann
An tabhartas geal ón gclábar
Tráth a ndéanann gáire cásmhar.

Ábhar grinn don chigire,
Ábhar grinn don mháistir,
Ach feiceann an stócach
Cloch phlúir i mála

Is bológ úr i mbácús.

DO SHEÁN Ó RÍORDÁIN

B'fhada an cath a fearadh
Ar an gcnoc úd thiar
Idir Eachlach Dé is tú féin:
Lámh in uachtar is in íochtar
Gach ré seal go dian.

Níorbh aon ghnáthbhé
Ba dhuais ag deireadh an lae,
Ach an bhánbhé
Dár thugais géillsine
Go luath i do ré.

Ó chuiris peann i bhfearas
Chun catha ar scáth na bé
Ní ar uachtar d'imigh,
Ach thochail go dtáinig
Ar do leac féin.

B'ionann do leac
Is leac na bpian
Ar an talamh gach lá riamh,
Mar bhí an máistir go dian
Is tú ag foghlaim an bháis
Gan spás faoina riar
Is an pianfhoclóir i do aice.

Cad ab áil leat feasta
De phianfhoclóir
Is Foirm na Fírinne
Os do chomhair go seasta,
Go mb'é sin toradh
Ár nguí chun Dé.

Ós dearfa mé go bhfuil tusa
Anocht ar bhuaic réime,
Iarraim féin ort aisce bheag:
Bí i do chara sa Chúirt Naofa
Ag gach file againn in Oilfinn
Nár tháinig fós i raon na geite,
Ní fearacht tusa
Ar gheit uile
Do sheal abhus.

PÓGA

Suigh síos in aice tobair
Go dtaga Niall an treo,
Ná tosaigh féin na póga
Ach fan leis an nia óg.

Céad póg is póg eile
Uaimse duit is tuilleadh,
Ní chuirfeadh tú in óige
Ní dhéanfadh umhal do chreat.

SCÁTHANNA

Cé leis a labhróinn teanga
Mura labhróinn leis an mballa í,
Gaeilge ná Béarla níl acu,
Na scáthanna sa seomra leapa.

Tá a teanga féin ag an oíche
Ach is folamh í mar theanga,
Neach ní thuigeann í
Ach na scáthanna sa seomra leapa.

Mhúinfeadh an seandream dom
Le forán a chur ar scáthanna,
Ach go bhfuilid féin go léir
Ina scáthanna le fada;

Ach cá bhfios nach rabhadh
A thugaid dom nó taispeánadh:
Go bhfuil an cairde caite
Is nár mhiste dul ina n-aice.

SMAOINTE DÓITE AR SHEANCHEIST

Cé d'fheall orainn go léir,
Bhí ag dréim go dtiocfadh ár lá?
Ní leor tréas na gcléireach a rá,
Mar bíonn cléirigh gar dóibh féin.

Bíonn cléirigh gar dóibh féin
Is déanaid mar is áil lena máistrí,
An raibh ann riamh más ea
Ach 'Baile an Gharraidh' eile!

Ach cé chaithfidh an chéad chloch?
Mar dar an orlaigh seo i mo ghlaic
A rachaidh leis an gcuid eile
Den choinneal a las mé tráth

Ní trí huaire ach céad
A ghlaoigh coileach mo léan!
Do gach éinne againn
Ó leanbh lag go láidir.

IN RIRO

'In vino veritas', a dúirt na saoithe;
'Ní hea,' a dúirt an Seoigheach mór,
'Ach In riro veritas dar mo láimhse'.
Níor tháinig iamh ar Shéamas fós
Ach é ag briseadh a chroí ag gáirí
Faoi Mheiriceánaigh ag tochailt fúthu
D'fhonn PhD's a charnadh.

COR SA LEAMHNACHT

An féidir gur mhealladar
Na glóra móra tú féin
Nuair a ghealladar go ndéanfaidís
Tír, talamh, is éacht?

An iad a chuir cor
Sa leamhnacht ort?
Is nár fhág agat
Ach gruth is meadhg.

Bhí an t-athaoibhneas acu
Ar ghort an bhaile:
Glóra i gcóitín a mhill
Níos mó ná a leasaigh.

Ach táir anois san áit
Nach gcuirfear an bhréag
Ina fírinne anuas ort
Ná siolla bladhmainn i do chluasa.

FAD COISCÉIM COILIGH

(Do Mhicheál agus do Bhríd)

Chonaic mé an ghrian inné
Ag déanamh scátháin
De dhroim gach gluaisteáin.

Chonaic mé gach ainnir
Ag roinnt a haoibhe go mall,
Is gach éan ag fiach a chéile
Ag géilleadh do chuing an ghnáis.

Tá an t-earrach ag fanacht
Is an eochair ina láimh,
Ag ordú don gheimhreadh
Glanadh as an áit.

Mise a bhfuil gad an chumha
I bhfogas do mo bhráid,
Measaim gur tháinig inné
Fad coiscéim coiligh ar mo lá.

MO MHADA BEAG

(Do Thomás agus do Charol)

Mada beag mo dhán
Is maith an sás cuardaigh é,
Cé nach fios domsa féin
Cén earra a bheidh ina bhéal
Nuair a fhillfidh ón gcuardach;
Ach geallaim go roinnfead leat
A dhath is a thuairisc.

AN SCÁTHÁN

Ba scáthán í do shúil,
Trínar léir dom mé féin:
Súil charad nó namhad?
An té déarfadh is críonna é.

Mo chion den olc is den spíd,
Bhí le dáileadh gan scíth liom,
Is níor léir dom ach fríd
Ar áit mo thoirte.

Chonaic mé an oiread
Is a loit is a chreim mo thoirt,
Ionas gur goirt liom anois
Filleadh ar mo chandam oilc.

ÓGBHEAN

Blúire luaithrigh ar do bhaithis
Maidin Chéadaoin an Luaithrigh:
A bhrí a chaill i mo thuairim.
Ní dhearna ach cur le d'áille,
Ionas nach raibh ann fad mhair
Ach ball seirce ag teacht
Leis an luisne a shiúil do ghnúis
Nuair a las do ghrua le náire.

ATHBHREITH

(Don Ollamh Breandán Ó Madagáin)

A Dhia a thug dom athbhreith
I gcorp an Oisín óig seo,
Ar theacht don áit seo athuair,
Ba doicheall uaim is dadhaic
Cur suas do do thoirtín drúchta,
Is dul ag caoineadh na gcarad
Nach bhfuil ar an talamh
A ndath fanta ná a dtuairisc.

SCÉAL AN TÍ MHÓIR

Chloisinn do scéalsa
I gcogar á aithris,
Ag seanmhná cois teallaigh
Faoi choim na hoíche:
Mise cluas-aireach
Chuireadh srian lena dteanga
Ar eagla mo mhillte
Le fios ba náir,
Ach idir uille dhuine
Is glúin duine eile
Ligtí chugam leide
Ar bhearta an fhill.
Meirse a scaoilis
As craos do mhírúin
A thit gan taise
Ar gach bothán táir,
Is longa líonais
Le truáin spíonta,
Ar aistear íospairte
Thar sáile sall.
Ar áit na mbothán
Tá tithe ceann slinne,
Is le gáirí geala
Tá tinteáin lán,
Ach do phórsa caite
Gan oighre i d'aice,
Is mar thrá ghaoithe
D'al ar fán,
Cé mairfidh cuimhne
Ar do ghníomha—
Fíor na croise
Ar bhaithis sheanmhná.

Feasta, Bealtaine 1951

MACHNAMH AN DUINE STOITE

Caithimse sealta in éad
    Leis an dream a d'fhás
I dtaithí áilleacht chathartha,
    Eaglais, stua, is foirgneamh ard,
Is íomhá chloiche greanta,
    Saothar na bpéintéir oilte
Inár ndánlann taiscthe
Is an dréacht téadbhinn ceoil
Thugann aoibhneas ard don aigne.

Ní bhainim as na nithe seo fós
    Toisc ainchleachta, iomlán taithnimh:
Is iad na nithe príomháille léir
    Is fuíoll na saíochta sinseartha
A roinn mo dhaoine liom ar a dteallach,
    A shuigh i gcoróin ar mo chroí óighe,
Is mó is lón do m'anam.

Feasta, Samhain 1951

MAIRG AN AICME

Mairg an aicme seo againn
Chuir slua an ghaisce suas,
A fhanann ag cartadh
Ar chaolfhód a gcimín chúng,
Gan teannadh leis an bhfairsinge
Ar an mbranar is coiteann dúinn,
An uacht is dual don séimhdhream
Anuas ó oighreacht na sua—
Is mo chreach iad in airde
I gcathaoir an bhreithiúnais i gceart,
Gan slat tomhais ina nglaic leo
Nár eascair i gcró na gcearc.

Comhar, Márta 1953

COGAR NA NATHRACH

Dá dtéadh gach bean in éag ach tú
Ionas go mba tusa féin a gcrot go léir,
Peaca Adhaimh níorbh ait le héinne beo,
Is chuirfí glasa daingne ar gach úllghort lán
Ar eagla slad ar úll na haithne.

Chím i dtnúth do ghnúise rite,
Is i do leabharchorp cuartha cailce,
Dúshlán gach cime a thug móid na cuinge,
Gan taise i d'fhéachaint ach tarcaisne dósan,
Ní saoirse ach daoirse don chime gabháil leat.

Beirir as suan chun cuimhne fir
Uille ar ghlúin is sioscadh cois tine,
Gáire coimeádach i gcoim oíche as cúinne,
Leidí beaga fáin ar rún gach mná agaibh
A fuair máthair an chine ón nathair i gcogar fill.

Feasta, Meitheamh 1953

RABHADH UAMHAIN

Níor char file riamh an focal cóir,
Ná ógfhear dian a leannán rúin,
Mar charais féin an dúil chlochaí,
Gur rinne cloch de do chroí
Gur lioc do mheon ina cló,
Ó rug sí ort a barróg fhuar,
An ghin chrua sheasc sheang,
Do rogha ar an gcré chollaí.

Ba phaidir leat gach leac
A thoillfeadh ina teampall adhartha,
D'íbirt aimrid do Bhandia na Cloiche,
Bhí do dhúil dhanartha sa saothar buile
A thógais ina comhair buinne ar bhuinne.

Ó lean do chorp do mheon ina hairchis
Is léir rian a caidrimh ort,
Is ó thréigis an chré ar an gcloch
Ní cuibhe duit a cuilt fút:
Seastar ar shúil an bhealaigh tú,
Mar rabhadh uamhain do chách.

Comhar, Meitheamh 1954

CÁ BHFUILID?

Cá bhfuil fear an chreasa?
Fear an léine ghorm is an chaipín,
Na fir go mba chéile acu
Gaoth is grian is fearthainn,
Béal toinne in úrchruth maidine,
Talamh loirg is talamh bán
An gáir ard is béic an ghaisce,
An buille, an crá, an gáire:
Beir leat do chopóg agus glan iad
Leacracha balbha an teampaill.

Cá bhfuil mná na gcótaí dearga?
Na gcótaí gorma, na seálta as Gaillimh,
Mná an airneáin oícheanta fada,
Mná go mba chéile acu
Creathas forcamháis ag faire
Ar fhear ó ucht na mara abhaile,
An bás, an gol, an t-anó,
Mná a bhí deas ar abairt sóláis:
Beir leat do chopóg agus glan iad,
Leacracha balbha an teampaill.

Comhar, Meitheamh 1954

BLÁTH ÍOGAIR

An chaithis a d'fhás eadrainn
Is íogair an bláth í,
Ligtear a fás léi
Ar eagla a feochta.

Ná lorgtar lúb ar lár
I ngréasán ár gcaidrimh,
Ná snáth na trua ann
Ar eagla a stollta.

Cé ghlacfadh seoid ina láimh
Ag brath a cineáil,
Ar eagla a titime
Ar eagla a briste.

Ós déirc le bocht
A bhfaigheann mar deirtear,
Snáth na déirce
Slán a deirim.

Róluath a bhrisfear.

Feasta, Aibreán 1960

CAITHIS

Nuair a leagas mo lámh ar an gcrann
Ghlac mo bheart ina theanntás,
Ach nuair a leagais do lámh air, a ainnir,
Ba mhéanar don chrann an teagmháil,
Is ghlacas féin do léim alluaicis
Is bréagadh na géige ar m'aithris
Mar chomhartha neoid na caithise;
Is an lá nach bhfuil ar chumas don chrann
Focal a rá ná dán a dhéanamh,
I gcomaoin do chaithise bíodh agat
Uaimse, is ón gcrann le chéile,
Mo dhán go brách cé beag liom duit.

Comhar, Bealtaine 1960

TRÍ NITHE

Trí nithe atá ar mo thí:
An bhroinn is an t-oileán i mo dhiaidh
Is an uaigh liom ag fanacht.

Ní fiach cothrom a bhfiachsan,
Triúr sa tóir ar dhuine amháin
Is ar chlár m'éadain a mbranda.

Mo bheanna a thabhairt liom
Ón mbroinn is ón oileán
Níor dhodhéanta leis an aimsir,

Ach níor bhua mo bhua fós
Is an uaigh ansiúd romham
A béal aici ar leathadh.

Agus, Meán Fómhair 1961

ÁBHAR GOIL

Chaoinfinnse tusa níos fearr
Nó an tusa a bhí tráth
Sular imís as do chuma,
Ach go gcaithfinn a rá
Gur chuid díom féin lá
A bheinn ag caoineadh freisin.

Ó thugais gáire ar ghruaim
Is alluaiceacht ar thuirse,
Tháinig ceo ar an scáthán
Trína bhfeicinn féin mise,
Is cé déarfadh nár leor sin
Mar ábhar goil domsa?

Comhar, Bealtaine 1962

AN AGHAIDH SIN ORT

Tabhair aire don aghaidh sin!
Ní leat í go huile,
Ach í agat ar iasacht
Ó mhná daingne ár gcine.

Nuair a sínim mo chuimhne
Ar chéad bean a chím í,
Mná ár gcine ó cuireadh
Thar Ghaillimh siar iad.

Mná a d'fhoghlaim foighid
Ó fhanacht fhada righin,
Ar thoradh silte
D'fhág a séala uirthi.

Séala eile ar an aghaidh sin
Ó mhná a cheileadh an bród
Tráth a bhfaighidís an déirc
Ba pholl ar a n-onóir.

Clann na Gaeilge atá roinnte
Ar chlár na cruinne,
Gan stát acu ná rialtas
Gan ceann ina bhfochair.

Tabhair aire don aghaidh sin,
Ní leat í go huile,
Ach í agat ar iasacht
Ó mhná daingne ár gcine.

Feasta, Nollaig 1963

DO MO DHÁNTA

Faighidís caidéis díbh
Na comharsain, más áil leo é,
Tá sibh gléasta agam,
Go feadh m'acmhainne féin,
Gan cabhair ó aon,
Is bíodh a fhios acu feasta
Nár tháinig ní gan cháim
Ach ó láimh Dé.

Cá bhfuil an t-aiteas
Trínar lingeadh sibh,
I gcéaduair ar an saol?
Is tá inchis bhur dtoirchithe
Imithe mar thinneas ó aréir,
Ach mo bheannacht in bhur dteannta
Ós mé bhur n-athair go léir.

Bhur máithreacha níor chaill libh
Ach silleadh súl nó sméid,
Meangadh gáire nó comhrá béil;
Duine acu níor iompair lá sibh
Ní áirím trí ráithe féin.

Dóchas, 1964

STRAINSÉIR

An mhaidin a raibh mo mháthair
á cur i gcré, i dtalamh,
chuaigh mé thart ar gach giodán
dár thaithigh mé i mo ghasúr,
gur fhágas slán ag cloch
ag móinín, ulán, céim, is carraig,
is chonac triúr ógfhear
faoi dhungaraí ar leoraí,
is mheasas gurbh amhlaidh
a bhí orthu fuireach calaidh,
is mheabhraíos féin go greannmhar
céard déarfadh m'athair mór fadó
dá bhfeiceadh roimhe an tsamhail;
ach leis sin rinne na fir
comharthaí lena lámha is beannú,
ach mheasas go raibh íoróin tríd an mbeannú,
go mba strainséir mé i mo dhúiche feasta
is go mba orm féin a bhí fuireach calaidh.

Cnuasach, 1966

NA HUAIN

Ní hé an dúil is measa liom
Ná an síor dul le cois
Nach gcoiscfeadh daingean ná dún,
Óir ní mise a chuirfeadh fál
Thart ar ár máthair
A choinneodh ón sine na huain;
Ach iad a dhul ag múineadh
Méiligh dise gan tuigse
A thúisce is bhíd sách dá húth.

Comhar, Bealtaine 1967

GRAMADACH

Ní mé an i modh grinn
A labhair Moore le Best
Nuair a d'fhiosraigh an saoi sin
Faoin modh foshuíteach?

Ní rachainn féin i mbannaí
Go raibh féith an ghrinn
Go láidir i George breá aon uair,
Is cár thairbhe dá dhream
An earra faoi mar ba thairbhe
Do chosmhuintir
Nach mbeadh ann nach mór dá héagmais?

Ach más dáiríre a labhair
Tuigim don fhear go breá,
Mar ní minic a bhíonn
Ar chlár m'éadain féin
An modh foshuíteach
Ná an briathar saor,
Ní áirím an briathar "is" scríofa.

Lug 1, 1972

DORCHÚ

'Duine ann féin', a deiridís
Faoi dhuine corrmhéineach,
Bheadh stuaic air uair
Is ní bheannódh duit ar bealach.
Ach an duine corrmhéineach féin
File fáin nó fáidh b'fhéidir
A dhealódh lena dhaoine seal,
Bhí seisean is iadsan
Le linn a cháinte doibh daonna.
Ní chreidim gurb amhlaidh
Don droing stoite ar aon chor:
Ní ar an mhodh daonna
A dhealaíd lena chéile
Ná le file ná fáidh aon uair;
Is mór idir Colin Wilson
Is sean Mhaitias aon lá.

The Lace Curtain 5, 1974

TEAGMHÁIL

Más amhlaidh a shloig an talamh tú
Nó má táir fós ó amharc uaim
Sa chathair nó in imigéin uaim,
Creid go bhfuil cuid díot
Gan do chead agam,
Is creid eile gurb shin cuid
Le mo bheo nach n-éileod;
Mar mura raibh ann aon uair
Ach fuadach anála seal,
Is mogaill ár súl
Go dlúth ag déanamh scéil orainn,
Bíodh a fhios agat go dearfa
Gurb shin féin teagmháil
Nach léifeadh fir léinn air.

The Lace Curtain 5, 1974

MO CHAISEAL

Minic a chuireas féin
Mo chaiseal ar fiodrince
Ach is annamh a thit
An codladh mín air,
Mar nár chuireas
An fuinneamh ceart
Leis an urchar.

Scríobh 3, 1978

CLOCHADÓIR

Chonaic mé clochadóir
In airde ar scafall
Is é ag tógail tí.
Chonaic fós é ag tomhais
Ag meá is ag brath na gcloch,
Is chonaic mé a liacht
Cloch is spalla a shín
Chuig a ghiolla anuas
Nuair nár thoill go beacht
Ina hionad cheart sa mbuinne nua:
Mise a bhéarfadh cuid mhór
Ar a bheith chomh deas chuig mo ghnó.

Dán   Phostaer

NÓTAÍ

Níl i gceist leis na nótaí seo a leanas ach go soiléireofaí cuid de na dánta nuair a síleadh go mba inmholta sin. Sa chás go mínítear úsáid focal nó leagan cainte nó go dtugtar eolas ar chúlra dáin is ó chaint an údair a dhéantar sin, de ghnáth.

Ionas go mbeadh an cnuasach seo d'fhilíocht Mháirtín Uí Dhireáin chomh hiomlán agus ab fhéidir, síleadh go mb'fhiú an réamhrá do *Ó Mórna agus Dánta Eile* a chur i gcló san áit chuí anseo, agus toisc gur saothar suntasach ann féin é an chéad leagan de *Ó Mórna* tá sé curtha i gcló anseo mar aguisín.

EOGHAN Ó hANLUAIN

lch 24: *Maidin Domhnaigh.* a guidhe: tá dhá shiolla san fhocal seo.

lch 31: *Díomá.* toirtín: 'féirín ar ócáid áirithe—nuair a bhéarfadh caora uan— an rud a mbíodh tóir ag na gasúir ar fad air dá mbeadh caora le uan. Agus nuair a d'fheicfeá caora lag lúbach ar an bhféar agus an salachar fós air agus an mháthair á líochán, bhí aiteas ag baint leis sin. Ritheadh an gasúr abhaile, nó ritheadh sé go dtí pé ar bith duine a mba leis an chaora agus deireadh sé go bhfuair sé "toirtín". Is é an "toirtín" a bhí i gceist aige ansin go bhfaca sé an t-uan sínte ar an talamh, tar éis a theacht ar an saol. D'fhaigheadh sé an toirtín dáiríre ansin. B'fhéidir gur ubh nó rud éigin eile é. Ní hé an rud féin a raibh spéis ag an ngasúr ann ach go bhfuair sé "toirtín"—go raibh sé amuigh ar maidin go moch agus gurbh é an chéad duine a chonaic an t-uan'.

Bhí an réamhrá seo a leanas leis an gcnuasach *Ó Mórna agus dánta eile*:

MISE AGUS AN FHILÍOCHT

Bhí an fhilíocht i mo thimpeall agus mé ag fás. Ní féidir iomlán na filíochta a cheapadh. Ní céim síos di a rá gurb é fearacht na haibhléise aici é sa mhéid nach gcuirtear dán ach ar chuid bheag dá bhfuil ar fud na cruinne di, go dtéann cuid mhór di saor.

Bhí an charraig oileánda ar ar tógadh mise ar muin na filíochta, gan bealach ag duine uaithi dá mb'áil féin leis é. Bhí sí sna brachlanna cúrbhána a d'éiríodh de dhroim na mara glaise, i nglór na dtonn a bheireadh dúshlán carraige is trá, agus bhí sí arís sa monabhar ciúin síoraí a níodh mallmhuir samhraidh is í ag súgradh go lách le ciumhais an chladaigh. Ach thar gach ní bhí sí i gcaint mo dhaoine. Nárbh é Monsieur Jourdain i ndráma de chuid Molière a chaith cuid mhór dá shaol ag labhairt próis agus gan a fhios sin aige? Chaith mo dhaoine féin formhór a saoil ag labhairt filíochta i ngan fhios dóibh.

Dá ainneoin sin uile níor chumas blúire ar bith i bhfoirm véarsaíochta go dtí Nollaig na bliana 1938. Níor smaoiníos fiú ar aon ní amhlaidh a chumadh ar feadh an achair go léir a chaitheas i nGaillimh ó Eanáir 1928 go Lúnasa 1937. B'iomaí uair a thugas iarracht ar ghearrscéal nó aiste a scríobh i rith na tréimhse céanna sin. Ní mó ná sin an dúil a bhí agam i léamh na filíochta, agus níor léas mórán di in aon teanga den dá theanga a bhí, an tráth sin, ar eolas agam. B'fhéidir go léifinn le fonn nó le míshonn í dá gcoinnítí liom í, an tráth a gcoinnítí le mo leithéidí eile í, is é sin dá n-éiríodh liom a bheith ar mheánscoil; ach ní féidir liomsa, go háirithe, a rá go mbíodh saothar Shakespeare liom chun na scoile i dteannta an fhóid mhóna. Go deimhin is minic nach mbíodh an fód móna féin agam. Ní mór, mar sin, nach i ngan fhios dom a bhí sí ann nó gur thosaíos féin

[215]

ag cumadh. Ó shin léas le fonn gach cineál filíochta. Ní abraím gur fearrde mé mar tharla dom, mar dhuine ná mar fhile. Ní abraím a mhalairt ach an oiread. Ní abraím ach gurb í an fhírinne í.

Más fíor go gcuireann nithe áirithe a chloistear nó a fheictear nó caint áirithe a n-éistear léi cor i saol duine, b'fhéidir nár mhiste a rá gurbh é Tórna .i. An tOllamh Tadhg Ó Donnchadha (go ndéana Dia grásta air) a sheol mise ar bhóthar na filíochta. Níl a fhios agam an mbeadh an mínéigeas céanna róbhuíoch de féin dá mbeadh a fhios sin aige, mar ní dóigh liom go dtaitníodh mo dhánta go rómhaith leis. Ach ní bhíonn breith ag a leithéidí sin ar thoradh na cainte a thagann as a mbéal.

Seo mar a tharla. Thug Tórna léacht ar an bhfilíocht in Áras Chraobh an Chéitinnigh de Chonradh na Gaeilge agus bhíos i láthair. Dob é Tomás Ó Muircheartaigh (atá anois ina Uachtarán ar an gConradh) a thug ann mé, agus b'fhéidir gur cuimhin leis sinn a bheith ag siúl abhaile i dteannta a chéile an oíche sin agus mise a bheith tógtha go maith lenar chualas ó Thórna. Ní cuimhin liom mórán den léacht faoin am seo. Ní cuimhin liom abairt iomlán amháin féin: ach is cuimhin liom gur léirigh sé dúinn le samplaí an bealach comónta agus liopaisteach (uaireanta) ina ndéarfaí rud áirithe i bprós, agus arís an bealach gonta slachtmhar inarbh fhéidir an rud céanna a rá i bhfilíocht. Mheabhraigh mé an scéal an oíche sin agus chinneas iarracht a dhéanamh feasta aon rud ab fhiú liom a chur de mo chroí a rá i bhfilíocht. Tuigeadh dom go dóite, ar aon chuma, nach ndearnas aon ghaisce sa bprós, agus nach raibh cosúlacht ar bith go ndéanfainn. Bheadh sé ar a fhéachaint feasta an ndéanfainn aon rath sa bhfilíocht.

Is nós le roinnt léirmheastóirí a rá gur tuairim na bliana 1939 nó go cinnte le linn an dara chogaidh mhóir a cuireadh cor nua i bhfás fhilíocht na Gaeilge, ó thaobh ábhair agus modhanna cumadóireachta de. Tháinig athrú ar dhéanamh agus ar ábhar na filíochta, ceart go leor. Is deacair a rá fós an raibh an t-athrú sin chomh mór agus atá a cháil; ach níor tháinig sé gan fáth agus gan riachtanas. Ní thig aon athrú dá n-uireasa. An chuid againn a thosaigh ag gabháil don fhilíocht sna blianta úd, ba daoine sinn go léir a ghlac go nádúrtha leis an teanga seo againne. Murar chainteoirí dúchais gach duine againn, rinneamar go léir ár gcuid féin di agus b'fhiú linn saothar a dhéanamh inti. Níor chum aon duine againn, sílim, dán ag moladh na teanga féin. B'shin athrú suntasach amháin, ar aon chuma, mar bhí cuid den dream a bhí ag saothrú romhainne ag cumadh corrdhán amhlaidh sna blianta úd féin, mura bhfuil agus fós.

I gcúrsaí cumadóireachta agus friotail ba mhór an buille orainne nach raibh aon eisiompláir ó cheart againn, is é sin an cineál a theastaigh go géar uainn, file éigin údarásach agus é ag tabhairt faoi fhadhbanna ár linne a léiriú i bhfriotal ár linne. Dá mba rabharta a bheadh sa bhfilíocht againn in ionad an mhallmhuir a bhí inti, ó 1900 i leith abair, bheadh a leithéid de fhile ar an bhfód agus ní fhéachfadh an t-athrú chomh haduain nuair a tháinig sé; ach níor léir ar shaothar chuid de na filí an tráth úd go raibh pian ná páis ag cur orthu. Is éigean a rá freisin, agus ní ag tabhairt guth orthu atáim dá cheann, nár léirigh a saothar gur bhaineadar iomlán feidhme as cumas na teanga féin, pé fáth a bhí leis. Bhí dhá rogha againn nuair a thosaíomar, leanacht orainn ag baint feidhme as friotal na nósmhaireachta a raibh an súlach bainte as i bhfad sular rugadh sinn nó feidhm a bhaint as cumas nádúrtha na teangan mar ab eol dúinn féin í. B'é an dara rogha a ghlacamar. Séard a deir Eliot: *since our concern was speech, and speech impelled us to purify the dialect of the tribe.* B'é a fhearacht sin againne é.

B'shin athrú gan amhras. Ní fios ar chóir réabhlóid a thabhairt air. Cuireann athrú agus réabhlóid fearg ar dhaoine áirithe, agus scanradh ar dhaoine eile. Tuilleann lucht a dtionscnaimh cáineadh. Cáineadh cuid againn. B'fhéidir go raibh roinnt le déanamh ag an éad leis an gcáineadh, ós sin é an cineál ainmhí an duine, ach lena gceart a thabhairt do lucht ár gcáinte, creidim nárbh éad ar fad é: sílim go raibh an scanradh féin ann. Scanradh a bhí ar chuid acu go scarfaí scun scan, ní hea amháin le dúchas na filíochta Gaeilge go nuige sin, mar ab eol dóibh é, ach le dúchas na teanga féin. Agus dar ndóigh, ba mhór acu an dá ní sin.

Cuireadh inár leith go rabhamar ag aithris ar shaothar fhilí an Bhéarla. Cuireadh i leith Sheáin Uí Ríordáin gurbh é T. S. Eliot a mháistir, cé go raibh cuid mhór dá shaothar déanta aige sular léigh sé saothar Eliot in aon chor. Cuireadh i mo leith féin go rabhas ag aithris ar shaothar fhilí Bhéarla chomh maith. Ba dheacair dom toisc gur ar éigean a bhí aon eolas curtha agam ar a saothar mar atá léirithe agam. Ní raibh a dhath agam ar a mbunóinn aon ní ach an rud a chuala mé—"the dialect of the tribe". B'éigean dom rithim mo chuid filíochta a bhunú ar rithim nádúrtha na teanga féin mar a chuala mé í, gan a malairt á cloisteáil agam ar feadh seacht mbliana déag de mo shaol. I gcead do lucht mo cháinte idir fhilí agus léirmheastóirí, ní hionann cuairt mhíosa, cuairt ráithe ná cuairt bhliana féin ar cheantar áirithe Gaeltachta, agus do chluas a bheith agat le béal an chine ar feadh an achair a raibh sí amhlaidh agamsa.

An dóigh liom, dá bhrí sin, gur leor d'fhile an chaint a chuala sé le linn a óige chun gach smaoineamh a scáilíonn a aigne ina dhiaidh sin a chur i bhfilíocht? Ní dóigh. Caithfidh sé tuilleadh mór a bheith ina teannta aige, ach is ina teannta é. Is fearrde é ise a bheith mar bhonn aige. Is dualgas don fhile focla a chur ag rince os ár gcomhair. Tá focla go leor a bhfuil meirg is deannach an díomhaointis orthu nár cuireadh as na cúinní fós, agus níor mhiste a gcur ionas go mba lóchrainn aitis inár bhfianaise iad. Tá rún agamsa roinnt acu a chur as na cúinní ach Dia tuilleadh saoil agus cumais a thabhairt dom chuige.

lch 49: *Gleic mo Dhaoine.* pota ar leith: Deirtí: 'Cén fáth nach ndéanfá pota ar leith mar a rinne cuid mhaith romhat'. Fear a bheadh ag iarraidh pósadh a dhéanamh agus nach mbeadh áit chónaithe aige, séard a dhéanfadh sa tseanaimsir 'pota ar leith' a dhéanamh, doras a bhriseadh isteach i mballa eile agus an lanúin nua a dhul a dhéanamh dóibh féin.

lch 52: *Cuimhne an Domhnaigh.* dán: 'rópa a chuirfeá ar mhuineál beithígh agus tú ag iarraidh é a cheansú'.

lch 55: *Ómós do John Millington Synge.* Ceann Gainimh: ar chósta thoir Inis Meáin. Coill Chuain: luaitear Coill Chuain ar cheann de na háiteanna a raibh Deirdre in Albain.

     Coill Chuan!
     gus' dtigeadh Ainnle, mo nuar;
     fá gar liomsa do bhí an tan,
     is Naoise i n-oirear Alban.
             Measgra Dánta 11, 123

lch 56: *Teampall an Cheathrair Álainn:* i gCorrúch in Inis Mór atá an teampall seo. Féach an cur síos air in An tAth. Mártan Ó Domhnaill, *Oileáin Árann,* 164.

lch 60: *An Stailc.* á ghuidhe: tá dhá shiolla san fhocal seo.

lch 61: *An Sméis:* Féach F. O'Brien, *Filíocht Ghaeilge na Linne Seo,* 274.

lch 62: *Deireadh Oileáin.* céadra: bunaidh.
     céadladh: in aontíos.

lch 63: *Na Turais:* 'Le linn m'óige ba mhór le rá iad na turais. Thagadh daoine

isteach ó Chonamara agus chónaídís thart i measc an mhuintir seo
againne ar feadh seachtaine b'fhéidir, an tseachtain a dtitfeadh na
féilte seo inti. ... d'fheicfeá ansin iad agus a gcuid báiníní fada ar na
fir agus na seálta troma ar na mná ar nós an mhuintir againn féin agus
thugtaí bheith istigh dóibh san oíche, sráideoga b'fhéidir go minic. Ní
bhíodh an oiread sin leapacha ag dul thart. Ansin nuair a thagadh an
oíche, Oíche Fhéile Sin Seáin, nó oíche ar bith eile den saghas sin,
théidís siar sna Seacht dTeampaill, an áit turais ba ghaire dúinne, agus
chodlaídís ann ar feadh na hoíche go maidin, iad féin agus cuid den
mhuintir seo againne in éindí leo. Ní bhíodh sagart ná bráthair in
éineacht leo, ach deiridís lán an phaidrín agus thugaidís turas thart ar
thobar beannaithe'.

atharla: otharluí, áit adhlactha.

lch 68: *Olc liom.* Dónall an tSruthain: Sinsinseanathair Mháirtín Uí Dhireáin.
Féach *Feamainn Bhealtaine,* 31.
lch 70: *Sic transit.* Fágadh líne 17 ar lár in *Ó Mórna agus Dánta Eile.* Bhí an
líne sa chéad leagan den dán in *Feasta,* Nollaig 1955.
lch 72: *De dheasca an úis.* ag fairdeal: ag seachrán, ag dul amú.
lch 78: *Blianta an Chogaidh:* Is mar seo a leanas a bhí an véarsa deiridh sa
chéad leagan den dán, in *Comhar,* Lúnasa 1953.

> Chuamar d'éag gach aon againn,
> Tráth ar bhlaiseamar an phian
> Tráth ar cheannaíomar an pháis,
> Is tháinig ina dhiaidh athfhás
> Ach ní sinne na daoine céanna
> A dhiúgadh na cáirt.

Bhí an réamhfhocal seo a leanas leis an dán *Ár Ré Dhearóil,* nuair a foilsíodh
é in *Comhar,* Meán Fómhair, 1959.

Deir an t-údar: Stoiteachas nó dífhréamhú is ábhar don dán seo agus an
follús is toradh air i gcroí is in anam na haicme stoite. Bhí ábhar an dáin seo
i m' aigne mórán ó na daichidí i leith, is é sin ó thosaigh an cogadh mór deiridh,
de réir mar a bhí mé ag machnamh ar an rian a d'fhág an cogadh sin ar shaol
na ndaoine go fiú in Éirinn—tír a bhí neodrach. An claochlú ar bhéasa gnáis is
iompair a raibh faomhadh na mblianta laistiar díobh; go mór mór chomh fada
is a bhaineas le cúrsaí teagmhála is caidrimh idir fir is mná. Agus soiniciúlacht
"an ghrá nach grá in aon chor", tráth a mbíonn daoine beag beann ar smacht-
bhannaí logánta. Tá frustrachas agus seisce go mór i dtreis sa dán. Bainim
feidhm as an gcnámh mar shiombal seisce. Tá *"sang a bone upon a shore"* i
ndán le W. B. Yeats, agus arís *"A bone wave-whitened and dried in the wind".*
Ag féachaint ar an spéir dom féin oíche ghealaí shamhlaíos an spéir le trá agus
an ghealach le cnámh. Tá an oiread cumas uafáis is imeagla folaithe sa damhna
tuirse is déanaí atá aimsithe ag lucht éargna is mura dtóga Dia de láimh sinn
nach siombal áibhéileach ar bith an cnámh gealaí ...

lch 101: *Reilig.* faire claí: 'Nuair a ghabhadh corp síos sa reilig, cheap na
daoine go gcaithfeadh sé sin faire a dhéanamh ar an gclaí go dtagadh
an chéad corp eile. Nuair a chuirtí, cuir i gcás, Éamonn Phádraic
Dé Sathairn agus nuair a chuirtí Nuala Mháirtín Dé Luain, deiridís

[218]

'Ní mórán faire claí a bhí ar Éamonn Phádraic'.

lch 103: *Ceangal.* dán: féach an nóta do lch 52.

lch 105: *An Milleadh:* Foilsíodh an dá véarsa atá sa dán seo agus an dán *Lá an Scriosta* (lch 138) mar aon dán amháin in *Comhar,* Deireadh Fómhair 1961.

LÁ AN SCRIOSTA

Damhna tuirse
An damhna a fríth linn,
Is cé chuirfidh fál
Le hál an mhillte?

An fhoireann nach ioncháinte
Fá mhéin ag clann an chionta,
Lá an scriosta,
Is cás linn.

Céard is díol éimhe
Is an bás ina shuí
Ar chírín an domhain?

Ráta malartain na huaire?
A fhir bhig an úis
Ní cabhair duit a pháirt
Lá an léin.

Cá rachair le do ghiota páir
Má théann malairt
Ar staid na críche go léir?

Fear ab'fhearr ná tú
A d'fheilfeadh go géar
Ná bíodh ina láimh
Ach an spáid féin,
Giodán slán ina aice
Is dias ina ghlaic don chré!

lch 109: *Fuaire.* mála an tsnáith ghil: 'na mná a bhíodh ag cniotáil fadó, chuiridís an snáth geal, an snáth ab fhearr, i máilín beag amháin ar leataobh; duine éigin a mbeadh práinn acu as bheidís ag déanamh éadach faoi leith dó. Is ionann anseo é agus samhail an té a mbeadh gean agat air—bheadh sé sin i mála an tsnáth ghil agat'.

lch 110: *Dúshlán.* treasachán: dailtín, suarachán.

lch 118: *Gníomh Goimhe.* Is fearr liom san uaimh dhubh
Ná dul leat faoin bhfearthainn.
Féach *The Folly of Wisdom* in Eleanor Knott, *Irish Syllabic Poetry.*

lch 126: *Gnó an Pháir.* Dónall an tSruthháin: féach nóta do lch 68.

lch 130: *O'Casey.* fear na cnise: 'Samhail den ealaíontóir. Séard a bhí sa chnis cipín beag agus bior ar gach aon taobh de agus is leis a bhídís ag fíochán creasa. Nuair ba mhaith leo na snátha a chruinneáil thugaidís anuas iad leis an gcnis'.

lch 136: *Comhairle mo leasa.* triosachán: féach nóta do lch 110.
lch 138: *Lá an Scriosta:* féach an nóta do lch 105.
lch 145: *An dá aicme.* ar troigh mhairbh na beatha: ar bhruach na haille thiar os cionn Eoghanacht in Inis Mór atá An Troigh Mhairbh. Féach Seán Mac Giollarnáth, *Peadar Chois Fhairrge*, 92.
lch 146: *Greim cúil an dúchais.* Dónall an tSrutháin: féach an nóta do lch 68.
lch 160: *An Toibhéim:* Féach an dán *Gealach Ur* in Somhairle Mac Ghill Eathain, *Dain Do Eimhir agus Dain Eile.*
lch 165: *Do Risteard de Paor.* an chnis: féach an nóta do lch 130.
lch 166: *Dea-chomharsanacht:* 'Dá gcasfaí taibhsí ort bhí sé de chumhacht agat iad a fhógairt i do rogha áit. "Fograímid dea-chomharsanacht oraibh" a déarfaí'.
lch 168: *Do Mhac Pheaits Sheáin.* Mac Pheaits Sheáin: fear curaí cáiliúil. Tá sé le feiceáil sa scannán *Man of Aran.* nár cuireadh ar an séú breac: nár fágadh an chuid ba lú den ghabháil éisc aige.
lch 174: *An Eochair.* Cat crochta: doicheall. Féach *Feamainn Bhealtaine,* 38. *Bailbhe.* an bualadh cabhlach: Trumpa nó cláirseach béil. 'Má bhíonn an trumpa as gléas buaileann an teanga i gcoinne cheann den dá chab agus milleann sin an ceol. Deirtear ansin go bhfuil an bualadh cabhlach ar an trumpa' (As an leabhar le Mícheál Breathnach, *Cuimhne an tSeanpháiste,* 122).
lch 177: *Samhail.* trá ghaoithe: féach an nóta ar lch 199.
lch 181: *Damhán alla.* Cnis: féach an nóta do lch 130.
lch 199: *Scéal an Tí Mhóir.* trá ghaoithe. Bhí an nóta seo leis an dán nuair a foilsíodh ar *Feasta* é. 'Trá ghaoithe a tugtar ar an trá fheamainne a baintear thíos ag íochtar díthrá lá rabharta mhóir agus a scaoiltear isteach leis an taoille tuile. Imíonn an fheamainn seo pé treo a seolann an ghaoth í, agus uaireanta tarlaíonn nach mbíonn faic ag na daoine bochta tar éis anró an lae'.
lch 213: *Mo Chaiseal.* an codladh mín: 'Baineann an leagan sin le caiseal a chuirfeá ag fiodrince ar an urlár. Nuair a chaithfeá i dtosach é bheadh sé tamall ag rince thart ar fuaidreadh ach dá mbeadh an fuinneamh ceart leis an urchar shocródh sé síos i gceann achair bhig agus d'fhanfadh san aon áit amháin agus bheadh sé ag casadh chomh caoin ciúin sin go gceapfá gur ina chodladh a bhí sé. Sin é an rud a dtugtar an codladh mín air.' (Mícheál Breathnach, *Cuimhne an tSeanpháiste,* 122).

AGUISÍN

Ó MÓRNA

Roimh theacht do Chathal Mac Rónáin
Mhic Choinn Mhic Chonáin Uí Mhórna,
I seilbh a chumhachta is i seilbh a thriúcha
Ba ghnás aige an t-airneán i mbotháin a dhúthaí.

Ba ghnás aige an chuartaíocht le Pádhraicín báille
I lár an lae ghil is arís tráthnóna,
Bhreathnaíodh, d'fhiosraíodh, is d'éisteadh ar dúrathas
Is siolla dá luaití ní ligeadh thar a chluasa.

Iar ndul in éag don triath ceart Rónán
Ghabh Cathal chuige a theideal is a chleacht,
Ghabh chuige a chumhachta is seilbh a thriúcha,
Ghabh chuige a mhaoir, a bháillí is a ghlac.

Ní thaithíodh na botháin chomh minic feasta
Ach choigil an t-eolas a fuair sé astu,
Choinnigh is chuntas gach blúire riamh de
A rachadh chun fónaimh dó ina dhiaidh sin.

Mheabhraigh tásc an té bhí uallach,
An duine gur dhóigh nach ngéillfeadh dá reacht,
Mheabhraigh tásc an té bhí cachtúil,
An duine gur dhóigh dhó sléachtadh go ceart.
Tuilleadh eile a chonaic is a chuala an ghéag
A d'eascair ó Mhórna Mhór na n-éacht,
Déanfaimid a ríomh is bíodh oraibh a léamh
Mar d'fhágadar a rian ar an triath go héag.

Chonaic Ó Mórna níochán is ramhrú
Chonaic na mná ag úradh an bhréidín,
Ag baint an úradh le na gcosa nochta
Is iad suite istigh san umar bréige.

Chonaic Ó Mórna an máistir sa gcrúsca
Seachtain ar sheachtain dá chruinneáil chun géire,
Chun tuaradh an fhoilt níor luibh go dtí é,
An folt bhíodh dubh ba buí dá éis é.

Chonaic Ó Mórna sníomh is cardáil
Glanadh an éisc is lomadh na gcaorach,
Bruth na bhfaochan is bruth na mbairneach
Is an mart dá mharú in onóir Mhártain.

Chonaic Ó Mórna casadh an tsúgáin
An súgán tuí i gcomhair an mhata,
An mata a chuirtí leis an doras dúnta
I lár na hoíche is an ghaoth dá ionsaí.

Chuala Ó Mórna ag caint na daoine,
Chuala an scéal, chuala an biadán,
Chuala an sciolladh, chuala an feannadh
Ach ar a chine féin níor chuala tada.

Chonaic Ó Mórna na hógmhná dá fhéachaint
Dá mheas, dá mheá, dá chrá in éineacht,
Pádhraicín báille is draothadh gáire air
Dá ghriogadh, dá bhogadh, dá bhrostú chun éilimh.

T'anam ón deabhal! Mo leabharsa dhuit!
Gur bodóga óga faoi dháir iad sin,
Teann isteach leo mar dhéanfadh fear
Is geallaimse dhuit go dteannfar leat.

"Is feasach iad cheana ar aon nós,
Nach cadar falamh gan géim tú,
Ach fear ded' chéim, ded' réim cheart"
Shoraidh dhe! an briolla, ba mhairg a ghéill dó!

Cé thógfadh cian dár dtriath?
Ina chime ar oileán
Ina chadhan aonraic,
Annamh a thagadh
Thar achar mara
Chun Ó Mórna
Cara cáis.

Ó Briain, Mac Conmara
Ó Domhnalláin ná Ó Ceallaigh
Níor mhinic a dtriall
Ar an triath le báidh,
Ó Máille ní thagadh
Ná a bhean ina theannta,
Is Blácaigh níorbh áil
I ndáil leis feasta,
Is bhíodh leathmhaing dhona
Ar a shaol de ghnáth.

Bhí céile leapa aige le haimsir
Ach níor luigh léi anois aon oíche le fada,
Meas deoir aille thug uirthi ar fhuaire,
Is ina cuilt shuain ní bhfuair aon taithneamh:
Ó Mórna pósta is céasta in éineacht.

Clann iníon do rug dó
Is ní oighre dílis fir,
Ceann fine gan fine
Gan oighre ceart ar a dháil,
Minic dúirt trína mheisce
Gur mhairg a shínfeadh
Le Blácach mná.

Théadh Ó Mórna ar na craga
Ag súil le faoiseamh,
Ag súil le deibhil
Idir dá thoinn,
Mar dhúil go ndéanfadh
An fharraige cháite
Láíocht lena ghrua
Le trua dá ghoin.

Bheartaíodh Ó Mórna gunna óna ghualainn
Ar fhad a ghéige ós é bhí deas air,
Scaoileadh le naosca, scaoileadh le crotacha,
Le héanacha aille is le cailleacha dubha:
An fiagaí ag fiach is é féin dá fhiach
Ag conairt na mian go tiubh.

Níor bhinn le Ó Mórna
Tollchrith tonn,
Ní raibh ann ina mheabhair
Ach tollchrith na tola
Is tollchrith na fola,
A réabfadh gan choinne
Ina rabharta thar chríocha.

A réabfadh móid
A réabfadh focail
A réabfadh aithne,
A rachadh thar teorainn
An phósta naofa,
A rachadh thar chomhlain
Na hóghachta míne,
A chartfadh an bán
A chartfadh an lorg.

Ardtráthnóna i lán a rabharta,
D'imíodh Ó Mórna i ndiaidh a chinn roimhe,
D'imíodh Ó Mórna ag ruathradh thart,
D'imíodh leis is d'éilíodh a cheart.

Do threabhaigh Ó Mórna an bán
Do threabhaigh Ó Mórna an lorg,
Do threabhaigh faoi dheabhadh
Do threabhaigh le fórsa,
Ach tá toradh fáin
Ar shíol Uí Mhórna.

D'éis díol na mbeithíoch ar aonach na faiche
Thógadh Ó Mórna paor thar chríocha aithnid,
Go críocha méithe go críocha fairsing
Go gcaitheadh mí mhór fhada as baile.

Tuirseach mar mheasadh den chré lábúrtha,
Leanadh Ó Mórna cleacht a dhúchais,
Dhéanadh lá saoire don ól don subhachas,
Dhéanadh lá saoire don imirt don rúpacht.

Riaradh a chumhachta níor chúram dó mórán
Riaradh a d'fhágadh faoi mhaora a thriúcha,
Wiggins, Robinson, Thomson agus Ede,
Ceathrar cluanach nár choigil an mhísc.

Éigean is danaid a d'imir go danartha
A d'fhág na táinte gan talamh gan trá;
An t-úll go léir dá máistir is dóibh féin
Is an cadhal dá n-éis ag na daoine.

Labhair an sagart ag Aifreann an Domhnaigh,
Labhair gur bhagair, gur agair na cumhachta air,
D'agair go géar réabadh na hóghachta air
Is scannal a thréada d'agair le fórsa air.

D'agair gach aon a dhíth is a fhoghail air,
D'agair an ógbhean díth a hóghachta air,
D'agair an mháthair fán a háil air,
D'agair an t-athair talamh is trá air,
D'agair an t-ógfhear éigean a ghrá air,
Is d'agair an fear éigean a mhná air.

Bhí gach lá ag tabhairt a lae leis,
Gach bliain ag tabhairt a leithéid eile féin léi
Ó Mórna ag tarraingt chun boilg, chun léithe,
Ach an chruimh ina chom gan dul i léig air.

Nuair a rug na blianta ar Ó Mórna
Tháinig na pianta ar áit na mianta,
Luigh sé seal i dteach Chill Cholmáin,
Teach a shean i lár na coille,
Teach nár scairt na grásta air,
Teach go mba annamh gáire ann.

Trí fichid a bhí is bliain le cois
Nuair a síneadh siar é i gCill na Manach,
D'éis ola is aithrí paidir is Aifreann,
I measc a shean i gCill na Manach
Ar an tuama armas is mana.

An chruimh a chreim istigh san uaigh tú,
A Uí Mhórna Mhóir, a thriath Chill Cholmáin,
Níorbh í cruimh do chumais ná cruimh d'uabhair,
Ach cruimh gur cuma léi íseal ná uasal.
Na grásta go bhfaighe anam an fhir!

INNÉACS NA gCÉADLÍNTE

[228]

[230]